Mab y Mans

ARFON HAINES DAVIES

Mab y Mans

gydag

Alun Gibbard

Argraffiad cyntaf: 2009

Dymuna'r cyhoeddwyr gydnabod cymorth ariannol
Cyngor Llyfrau Cymru

Cynllun y clawr: Robat Gruffudd

Rhif Llyfr Rhyngwladol: 9781847711878

Cyhoeddwyd, rhwymwyd ac argraffwyd yng Nghymru
gan Y Lolfa Cyf., Talybont, Ceredigion SY24 5HE
gwefan www.ylolfa.com
e-bost ylolfa@ylolfa.com
ffôn 01970 832 304
ffacs 832 782

PENNOD 1

COFI DRE?

Roedd Mam wedi gwirioni'n lân! Roedd cyffro yn ei llais wrth iddi rannu â phawb oedd yn fodlon gwrando fod tŷ ei rhieni wedi cael ei ddangos ar y gyfres *Tipyn o Stad* ar S4C! Ar y teledu!

Ffenest yr ystafell flaen gafodd ei dangos mewn gwirionedd ond dydw i ddim yn cofio iddi gyffroi cymaint ynglŷn ag unrhyw ymddangosiad wnes i ar y teledu!

Yn yr ystafell ffrynt honno y gwnes innau fy ymddangosiad cyntaf yn y byd yma, a hynny ryw dair blynedd wedi i ynnau'r Ail Ryfel Byd ddistewi. Fûm i erioed yn byw yng Nghaernarfon chwaith, er i mi gael fy ngeni yno. Roedd fy nhad, gweinidog Wesle, yn gyw gweinidog yng nghapeli Wesle ardal Harlech ar y pryd, ond ar fin symud i ofalaeth newydd. Trodd Mam at gartre'i rhieni, yng Nghefn Hendre, ger cae pêl-droed yr Oval, ar gyfer genedigaeth ei phlentyn cyntaf.

Dwn i ddim oes gen i hawl galw fy hun yn Gofi o gwbl. Dwi'n licio meddwl bod modd i mi ddadlau 'mod i'n un, fel mae Cockney yn gallu hawlio ei fod yn Gockney go iawn wrth gael ei eni o fewn i gylch sŵn clychau Bow. Gan i minnau gael fy ngeni o fewn 'long throw in' i gae pêl-droed yr Oval, mae hynny'n fy ngwneud yn Gofi, on'd ydi?

Y gwir amdani, wrth gwrs, fel mab i weinidog Wesle, symud o le i le oedd y dynged a benderfynwyd ar fy rhan ymhell cyn i mi gael fy ngeni. Roedd arwyddocâd bod yn fab y mans, mewn ffordd, yn rhywbeth a fyddai'n aros efo fi ar hyd fy mywyd – daw hynny'n amlwg dros y tudalennau nesa mae'n siŵr gen i! Erbyn i mi gyrraedd y pump oed, roeddwn i wedi byw yn Nhreharris, Llandeilo, ac wedi symud i Aberystwyth! Ond am y dyddiau cynta'n deg o leia, Caernarfon oedd pia hi ac wedi hynny, i Gaernarfon byddwn i'n mynd er mwyn gweld Nain a Taid.

Roedd Taid yn rheolwr yng ngwaith nwy'r dre ond yn ddyn a ddioddefai gan y crydcymalau yn wael iawn. Araf iawn oedd ei gerddediad ac roedd yn rhaid dibynnu ar ei ffon. Er ei ddiffyg gallu i symud o gwmpas ac er ei hoffter o wyau wedi'u ffrio, bacwn a saim o bob math, heb sôn am y ffaith nad wyf yn ei gofio heb getyn yn ei geg, cyrhaeddodd y 90 mlwydd oed.

Roeddwn wrth fy modd â'r dre; yr ardal o gwmpas y castell, y cychod yn y cei ac ar y Fenai, bysus Whiteways ac ati. A chaffi Manticore wrth gwrs. Gyferbyn â mynedfa i'r Castell, a drws nesa i siop Grey Thomas roedd y caffi lle treuliwn i gryn dipyn o amser. Doedd gen i fawr o ffrindia yn y dre, ond roedd yn rhaid mynd i'r Manticore. Dyna lle y dysgais sut roedd gwneud i un potelaid o Coke bara am ryw ddwy awr. Dyna hefyd lle clywais 'She Loves You' gan y Beatles am y tro cynta – a dw i'n cofio hyd heddiw rif y gân ar y jiwc bocs yn y caffi, J20! Mae'n siŵr gen i fod rhywbeth hudol iawn am y rhif hwnnw, gan i mi weld nifer o ganeuon clasurol dros y blynyddoedd ar y rhif hwnnw. Erbyn i'r teulu gyrraedd Treffynnon, a minnau'n parhau â'r traddodiad o ymweld â chaffis lle'r oedd jiwc bocs, 'Three Steps to Heaven', Eddie Cochran oedd ar rif J20 yno. Does dim cymaint o jiwc bocsys i'w cael rŵan wrth gwrs, ond os gwelwch chi un, ewch at J20 i weld pa gân sydd yno!

Roedd caffi arall uwchben Sinema'r Majestic ac roedd hwnnw'n ffefryn hefyd. Ond y ffilmiau fyddai'n fy nhynnu yno fwya. Trît, tra byddwn i ar fy ngwyliau yn y dre, fyddai cael mynd yno efo chwiorydd fy mam, Anti Nin neu Anti Blod. Dyna lle daeth James Bond yn fyw i mi am y tro cynta, yn y ffilm *Dr No,* ac wedyn, ychydig yn wahanol, rai o'r ffilmiau *Carry On* cynnar.

Roedd teulu Nhad o'r dre hefyd a chapel Ebeneser oedd canolbwynt a chalon eu bywyd hwy yno. Pan oedd Nhad yn ei arddegau, roedd yn gyfnod llewyrchus yn y capel a byddai criw o bobl ifanc yn mynd yno efo'i gilydd, ac i'r cyrddau gweddi hefyd. O ganlyniad, roedd gan Nhad nifer o ffrindiau da yn y dre. Un o'r rheini oedd Bob Pritchard, a aeth yn ei flaen gyda'i frawd, Richie Bonner, i sefydlu cwmni symud dodrefn Pritchard Brothers.

Pan fu farw Nhad, dw i'n cofio cael sgwrs â merch Richie, sef Gwenda, a hithau'n adrodd stori am sgwrs a gawsai hi gyda Nhad, neu Yncl Joe fel roedd hi yn ei alw.

'Beth yw'ch syniad chi o nefoedd, Yncl Joe?' oedd y cwestiwn.

'Eistedd ym Mhorth yr Aur 'nôl yn nyddiau ieuenctid yng nghwmni Bob a'i frawd, Richie, ar noson braf o haf ac edrych ar y machlud dros y Fenai. Dyna fy nefoedd i,' oedd sylw Nhad.

Dw i'n credu bod rhywbeth cysurus iawn ynglŷn â hynny, rhyw awgrym o 'heaven is what you make it' – er i mi feddwl wedyn nad oedd ei syniad o nefoedd yn ein cynnwys ni, ei deulu! Ond mae hynny'n gwneud cam ag ysbryd y sylw a wnaed ganddo.

Ond mi newidiodd Caernarfon. A dw i'n cofio'r newid yn glir. Falla 'mod i'n ei weld yn amlycach gan y byddai cyfnodau hir yn mynd heibio heb i mi ymweld â'r lle o gwbl, ond wedi tua 1968, ac yn sicr trwy gydol 1969, roedd yr hen deimlad urddasol a gawn yn y dre yn dechrau simsanu. Roedd cymaint o siopau safonol fel y Nelson a chaffis *classy* yno, ond, fesul un, roedden nhw'n diflannu ac yn eu lle daeth siopau gwerthu creiriau rhad a siopau tebyg. Ac erbyn heddiw, testun rhyfeddod i mi yw mai Caernarfon yw'r unig dre yn Ewrop, dw i'n siŵr, lle mae'r ffordd osgoi yn mynd reit trwy ei chanol!

Lle mae fy ngwreiddiau i, felly? Wel, dw i'n mynd yn eitha emosiynol a nostalgic wrth fynd o gwmpas yr hen fannau hoff yng Nghaernarfon. Doedd hynny ddim yn wir hyd at ryw ddwy neu dair blynedd yn ôl gan nad oedd gen i cyn hynny unrhyw awydd i fynd yn ôl i'r dre. Mae hynny wedi newid yn bendant erbyn hyn.

Ond, wedi dweud hynny, rhwng dwy a phump oed roeddwn i'n byw yn Llandeilo, cyn symud i Aberystwyth, lle cafodd Nhad aros dipyn yn hirach na'r tair blynedd arferol mewn gofalaeth. Felly, roedd mwy o gysondeb ar y dylanwadau fu gan dref Aberystwyth arnaf.

Casgliad o'r cyfan oll sydd wedi fy siapio i'r hyn ydwyf heddiw mae'n siŵr. Ond, yng Nghaernarfon y dechreuodd y cyfan.

PENNOD 2

CADDUG A GRESYN

DIGALONNI'N LLWYR FYDDAI YMATEB Nhad wrth weld capeli'n cau a'r adeiladau'n cael eu defnyddio ar gyfer dibenion eraill. Roedd y digalondid rywfaint yn llai os mai tai neu ganolfan gymdeithasol a gâi eu creu o'r hen gapeli. Ond, roedd gweld hen gapel yn fusnes gwerthu carpedi neu geir, neu'n waeth byth, tafarn, yn torri ei galon.

Alla i ddim dychmygu, felly, sut roedd o'n teimlo pan fentrodd 'nôl i St Pauls yn Aberystwyth wedi i'r lle gael ei droi'n glwb nos. Hyd heddiw, dydw i ddim yn siŵr pam iddo fentro 'nôl i gapel a gawsai ei droi at y fath ddefnydd ac, yn waeth byth, capel lle'r arferai ef ei hun fod yn weinidog.

Yr hyn a wna St Pauls yn fwy torcalonnus yw'r ffaith iddyn nhw gadw'r hen gelfi a'u defnyddio fel rhan annatod o'r clwb. Mi welais i'r cyfan drosta i fy hun wrth ffilmio ar gyfer y gyfres *Priodas Fawr*. Gofynnwyd i mi wneud cyfweliadau byrion ar gyfer y gyfres ac yno y gwnes i rai ohonyn nhw.

I fyny uwch fy mhen roedd y pulpud lle byddai Nhad yn arfer pregethu – wel, dyna gartre'r DJ rŵan. Cefais fy holi gan Eleri Siôn yn y set fawr lle byddwn yn arfer dweud fy adnod. Dyna'r lle hefyd y cefais brofiad digon annymunol yn ystod yr oedfa i'm derbyn yn gyflawn aelod o'r capel. Wrth dderbyn y cymun gan fy nhad, llewygais a disgyn yn un swp ar lawr y set fawr. Y cyfan dw i'n cofio ei glywed yw llais fy chwaer yn gweiddi, 'Mae o wedi marw! Mae o wedi marw!'.

Hyd y dydd heddiw, mae'r profiad yna'n dod 'nôl i mi bob tro y byddaf yn gorfod mynd i set fawr i dderbyn y cymun. Diolch i'r drefn bod y cymun yn cael ei wasanaethu yn y gynulleidfa yn Salem, Treganna!

A'r bar? Yn yr union fan lle cawn fy ngwersi ysgol Sul gan Mr Edwards.

Brifodd hyn oll fy nhad, heb amheuaeth. Ac, a bod yn gwbl onest, er nad oes gen i wrthwynebiad i glybiau nos, a 'mod i wedi mynychu mwy na fy siâr ohonyn nhw yn y saithdegau a'r wythdegau, roedd gweld y newidiadau yn St Pauls a'r defnydd a wnaed ohono bellach yn deimlad chwithig tu hwnt i minnau'n ogystal.

Symudodd fy nhad i Aber o Landeilo, sef y dre lle mae fy atgofion cynharaf a minnau wedi byw yno rhwng pan own i'n ddwy flwydd oed a phan own i'n bum mlwydd oed. Dyna'r lle gwnes i sylweddoli go iawn bod fy nhad yn weinidog a rhyfeddu wrth ei weld yn sefyll fry yn y pulpud a methu'n lân â deall sut iddo gyrraedd yno!

Daeth y dydd i fynd i'r ysgol am y tro cynta, ysgol gynradd Llandeilo.

'Ydych chi'n dod i fy 'nôl i?' Cwestiwn o waelod calon i Mam a hyd yn oed wedi i mi gael cadarnhad y byddai hi yno i fynd â fi adre, roedd yn rhaid cael sicrwydd a chadarnhad pellach

'Wnewch chi aros amdana i'n fan hyn, plîs?' Cri o'r enaid yn wir!

A chwarae teg, ar ddiwedd y diwrnod ysgol, roedd Mam yn ddeddfol yn aros yn yr union fan lle gadawodd hi fi yn y bore. Roeddwn i'n falch iawn o'i gweld ac yn arbennig o falch ei bod wedi aros ar y palmant amdana i mor amyneddgar ers naw o'r gloch y bore! Mi wnaeth, on'd do?

Mae caredigrwydd yn un nodwedd amlwg dw i'n ei chysylltu â Llandeilo. Cofio mor garedig oedd pobl fel Mrs Price, Castell Carreg Cennen. Ganddi hi, a chan nifer o bobl eraill, fe ddôi llysiau ac wyau di-ri i'n tŷ ni, a phawb am fod yn garedig wrth y gweinidog.

Dydw i ddim yn credu i mi erioed dalu am losin yn y siop wrth ymyl y garej ar gornel y brif ffordd sy'n arwain i Gaerfyrddin. I fan 'na byddwn i'n mynd yn fy nghar bach pedal yr holl ffordd ar hyd y palmant wrth ochr y ffordd fawr. Dyna oedd dechrau agor y byd mawr o 'mlaen.

Wrth sefyll ar yr un gornel efo Nhad un diwrnod, gwelais ryw hanner dwsin o danciau milwrol yn mynd trwy'r dre. Doedd yr un ohonyn nhw ar gefn lori, pob un yn hytrach yn gyrru'n rhydd trwy dre dawel, cefn gwlad, Llandeilo gan greu cryn gyffro a chryndod wrth fynd ar eu ffordd.

Pam i Nhad sefyll yno efo fi er mwyn dangos y fath olygfa, wn i ddim. Mae'n siŵr ei fod yn gwybod digon am yr ysfa am antur mewn bachgen ifanc. O'i safbwynt ef, ac yntau'n heddychwr cryf oedd wedi bod yn wrthwynebydd cydwybodol yn ystod y rhyfel, rhaid bod eu gwylio'n brofiad anesmwyth. Ei dynged am wneud y fath safiad adeg y rhyfel oedd cael ei anfon efo criw o ddynion o'r un anian i bentre Caio, nid nepell o Landeilo. Roedd y bobl yno'n ansicr iawn sut i'w derbyn ar y cychwyn, ac roedden nhw'n amau'r dynion hyn yn fawr. Ond, wedi setlo i'w gwaith yn y goedwig, a chymryd eu lle ym mywyd y pentre, cafodd y gwrthwynebwyr hyn gryn groeso gan y brodorion yn y diwedd. Ac o safbwynt fy nhad, roedd wrth ei fodd yn cael bod yn rhan o fywyd pentre ac wedi gwirioni'n llwyr ar Caio!

Nawr, a ninnau'n ôl yn yr un rhan o'r byd, roedd y syniad o wybod ychydig mwy ynglŷn â phwy own i, wrth brysuro tuag at y pump oed, yn dechrau ffurfio. Roedd y caredigrwydd a ddangosid tuag aton ni, a'r rhoddion yn arwydd o hynny, wedi gwneud i mi ddechrau gweld ein bod ni'n wahanol. Doedd bechgyn eraill yn y dosbarth ddim yn cael yr un profiadau â fi.

Yn ogystal â'r llysiau, yr wyau a'r glo, roedd aelodau capel fy nhad yn hael iawn wrth fynd ag ef o fan i fan gan nad oedd ganddo gar. Roedd wedi cael gafael ar feic, hen feic plisman, solet, cadarn, trwm! Ac yn aml iawn, byddai'n seiclo i'w gyfarfodydd ar fore Sul, seiclo oddi yno wedyn i'r capel lle'r oedd cyfarfod pnawn a seiclo ymlaen eto at gyfarfod y nos, cyn seiclo adre! Ond pan oedd angen lifft, doedd dim prinder pobl i fynd ag o i le bynnag roedd angen ei gario.

Roedd syniad cyntefig ynglŷn â'n safle yn y gymdeithas yn sicr yn dechrau ffurfio yn Llandeilo, felly, fel roedd patrwm bywyd y cartre hefyd. Mae gen i ddarlun clir yn fy meddwl o fynd i'r stydi i ddweud nos da wrth Nhad ac yntau'n eistedd y tu ôl i'w ddesg, a sylwi ar y lleuad drwy'r ffenest dros ei ysgwydd. Daeth hynny'n batrwm trwy gydol fy mhlentyndod.

Datblygodd y patrwm bywyd a'n safle o fewn y gymdeithas wedi i ni symud oddi yno i Aberystwyth. Ond roedd un peth pwysig i ddigwydd cyn i ni symud oddi yno. Cafodd fy chwaer, Catherine, ei geni. Lai na mis wedi hynny, roedd fy rhieni yn ein symud ni fel teulu i Aberystwyth.

Roedd gofyn symud pob dim o'r tŷ i ardal newydd, yn ogystal â mab pump oed a merch tair wythnos oed. Doedd dim cyfle i weld y cartre newydd cyn symud wrth gwrs, gan mai derbyn mans yn ddi-gwestiwn fyddai'r drefn. Felly, efo help cwmni symud dodrefn Pritchard Brothers, i fyny â ni. Mae'n rhaid ei fod yn gyfnod anodd iawn i'm rhieni, yn enwedig i Mam. Fel gwraig i weinidog roedd pwysau aruthrol arni i godi teulu, cynnal tŷ, bod yn ysgrifenyddes i Nhad a chyflawni dyletswyddau cyhoeddus gwraig gweinidog yn y pumdegau. Mae cael profiad mor amlwg o hyn ar yr aelwyd yn ystod fy magwraeth wedi creu edmygedd dwfn ynof at wragedd gweinidogion ac mae hynny'n dal hyd heddiw. Maen nhw'n gorfod bod yn wragedd, yn chefs, gofalwyr plant, gweithwyr cymdeithasol, ysgrifenyddesau, athrawon a phob dim arall. I fy mam innau, roedd symud i rywle dieithr a babi newydd yn ei chôl yn gwneud y sefyllfa'n anos o lawer. Mae'n rhaid ei fod yn gyfnod caled i'm rhieni.

Medi'r cyntaf 1953, felly, ac Aberystwyth oedd ein cartref newydd. Fy nhad wedi derbyn galwad i edrych ar ôl capeli Wesle Aberystwyth, y Borth, ac, yn ddiweddarach, Tre'r Ddôl. Yn Llandeilo, tŷ teras bychan oedd ein cartre yn Latimer Road. Ond yn Aberystwyth roedd mans anferth, pum stafell wely, yn gartre i ni. Gan ein bod yn symud o un mans i un arall, yn aml byddai'n rhaid gadael ambell gelficyn ar ôl a byddai ambell gelficyn yn ein haros yn y mans newydd. Byddai fy rhieni yn defnyddio'r ffaith honno i wneud yn siŵr nad own i'n camddefnyddio'r celfi.

'Paid â neidio ar y gwely – John Wesley pia hwnna!'

'Paid â phwyso 'nôl ar y gadair – John Wesley pia honna!'

Dyna'r sylw bob tro, nes i mi gredu am flynyddoedd lawer mai rhyw ddyn cwmni celfi mawr oedd John Wesley – nid pregethwr dylanwadol a sylfaenydd enwad y Methodistiaid ganrifoedd yn ôl!

Roeddwn wrth fy modd â'r ardd yn y mans newydd, gardd anferth yn ymestyn 'nôl am byth! Dw i wedi bod 'nôl yno ers hynny, a sylweddolaf bellach nad yw'r ardd mor fawr â hynny a dweud y gwir. Ond roedd hi i blentyn bach.

Ar Fedi'r pumed, roeddwn i'n dechrau yn fy ysgol newydd. Mae'n anhygoel ystyried i fy rhieni orfod trefnu'r symud, setlo mewn cartre newydd, dygymod â genedigaeth fy chwaer a gwneud y trefniadau fel y gallwn fynd i ysgol newydd mewn cyfnod mor fyr.

Prin ein bod wedi cael cyfle i setlo cyn i Nhad orfod cyflawni dyletswydd a oedd yn un trist iawn iddo fo. Roedd dau gapel Wesle yn y dre, Siloam yn Cambrian Street a St Pauls ym mhen arall y dre, ond bu'n rhaid cau'r un yn Cambrian Street.

Daeth yn amlwg yn gynnar iawn y byddai Ysgol Gynradd Gymraeg Aberystwyth a minnau yn dod ymlaen yn dda iawn efo'n gilydd – hynny yw, os mai hapusrwydd oedd y llinyn mesur ac nid llwyddiant academaidd! Dw i wedi dweud droeon ar hyd y blynyddoedd fod y pumdegau yn Aberystwyth yn gyfuniad clodwiw o le a chyfnod ar gyfer magwraeth ardderchog. Mi fûm i'n ffodus iawn i fod yn y man iawn ar yr adeg iawn, rhywbeth sydd wedi digwydd i mi sawl gwaith ers hynny dw i'n falch o ddweud.

Casgliad o athrawon amrywiol, dieithr, oedd yn fy wynebu wrth i mi fynd i'r ysgol newydd, wrth gwrs, ond mae amser wedi dangos i mi eu bod yn gasgliad eitha arbennig. Aneurin Jenkins Jones, Hywel D Roberts a Mary Vaughan Jones i enwi ond tri. Dw i'n gallu cau fy llygaid rŵan a gweld a chlywed Mary Vaughan Jones yn adrodd straeon y Mabinogi neu chwedlau Aesop. Gallai wneud i'r holl beth ddod yn fyw – llond dosbarth ohonon ni, blant saith ac wyth mlwydd oed, yn eistedd yno a'n cegau ar agor ac yn gallu gweld Bendigeidfran a'r cymeriadau eraill yn dod yn fyw o'n blaenau. Roedd hi'n arwres i mi, heb os. Bwriodd hi ati ymhen tipyn, wrth gwrs, i greu Sali Mali a'i ffrindiau poblogaidd, cymeriadau sy'n dal yn ffefrynnau gan blant Cymru hyd heddiw.

Yn yr ysgol gynradd bydd y rhan fwya yn dechrau ar eu gyrfa eisteddfodol. Ond nid fi! O ddyddiau cynta dosbarth 3, dan ofal y delynores Llinos Thomas, daeth yn amlwg nad oedd y steddfod a minnau yn mynd i fod yn ormod o ffrindiau. Pan fyddai hi wrthi'n creu parti cerdd dant, 'nôl yn y dosbarth byddwn i, a llyfr wedi ei roi o dan fy nhrwyn i'm cadw'n dawel. Doeddwn i ddim yn gallu canu o gwbl, a dydw i ddim hyd heddiw chwaith.

Mi wnes i gystadlu mewn eisteddfod unwaith a dod yn agos i wneud unwaith wedyn. Dw i bron yn siŵr mai'r unig dro i mi gystadlu oedd yn Eisteddfod Goginan. Y darn gosod oedd 'Sioni Winwns' ac ymlaen â fi i'r llwyfan.

'Mae o yma eto.'

Dyna'r llinell gyntaf ond dydw i ddim yn cofio gweddill y darn rŵan. A doeddwn i ddim yn cofio'r gweddill ar lwyfan Eisteddfod Goginan chwaith! Er gwaetha pob promt posib, dyna'r cyfan a lwyddais i i'w adrodd! I ffwrdd â fi oddi ar y llwyfan wedi fy siomi a phawb arall yn chwerthin. Gwahanol iawn oedd y stori gyda'm chwaer a fyddai'n cystadlu'n rheolaidd ac yn llwyddo'n gyson gyda'i chanu a'i hadrodd. Roedd ganddi ei phrif wrthwynebwyr wrth gwrs, a Delyth Hopkin a Maria Puw oedd y rheini. Eu curo nhw oedd y nod!

Mi fûm i bron â chystadlu mewn eisteddfod unwaith wedyn, fel y dywedais i. Roedd yr ysgol wedi ffurfio band taro a rhyw 28 yn y band i gyd. Ond nid fi. Un o'r rhai dros ben own i, un o ryw ddau neu dri nad oedd wedi cael eu dewis. Ond, daeth tro ar fyd. Aeth un o'r bechgyn yn sâl, a galwyd fi i'r band i chwarae'r triongl. Mi fûm i'n ymarfer mor gydwybodol ag oedd yn bosib i blentyn o'm hoedran i wneud er mwyn ceisio meistroli'r offeryn ac roeddwn i bron â bod yn edrych ymlaen at y cystadlu. Ond, ddyddiau'n unig cyn cael cyfle i wneud hynny, gwellodd y bachgen sâl, ac allan â fi o'r band. Dyna'r siom gyntaf wrth berfformio. Roedd rhagor i ddod!

Yr un oedd y stori efo dramâu ysgol. Roedd un o'r dramâu cynta dw i'n ei chofio yn cynnwys y prif gymeriadau a rhannau llai i ryw pum llygoden. Beth own i? Ie, un o'r llygod! Ac yn gorfod gwisgo siwt llygoden hollol hurt nad own i'n hapus ynddi o gwbl. Mae gen i lun sy'n dangos mai llygoden anfodlon iawn own i. *Also ran* unwaith eto!

Dw i wedi gohirio sôn am ochr academaidd yr ysgol tan rŵan. Braf fyddai peidio â gorfod cyfeirio ati o gwbl, ond gwell gwneud. Trwy gydol fy nghyfnod yn yr ysgol, pan fyddai rhyw dri deg i dri deg un yn y dosbarth, fûm i erioed yn uwch na rhif 26 mewn unrhyw ddosbarth. Anobeithiol! Mae'n siŵr bod hynny'n peri cryn siom i fy rhieni, er nad own i'n ymwybodol o hynny o gwbl ar y pryd. Roedd yna gyfnodau pan own i'n deall eu bod yn pryderu. Y cyfnodau hynny, er enghraifft, pan fyddai nodyn yn dod 'nôl o'r ysgol yn mynegi anfodlonrwydd â 'ngwaith cartre – neu nad oedd y gwaith cartre wedi ei gyflwyno'n aml!

Dysgais air newydd yn eithaf cyflym. Byddai'r adroddiadau'n dechrau'n amlach na pheidio, efo'r gair 'Gresyn...' 'Gresyn nad ydi Arfon wedi gwneud hyn a hyn...' Beth ar y ddaear oedd y gair 'gresyn' yma? Oedd o'n beth da neu'n beth drwg? Doedd gen i ddim syniad.

Wedi i Nhad farw, mi ddes o hyd i rai o'i adroddiadau ysgol yntau. Prin y byddai'n dod yn is na chyntaf mewn unrhyw ddosbarth. Allai'r gymhariaeth ddim bod yn fwy amlwg. Roedd deall hynny am y tro cynta yn peri cryn loes a dweud y gwir. Sut roedd rhywun fel 'na'n ymateb i'r gwaith fyddwn i'n dod adre o'r ysgol? Mae'n siŵr iddo gael ei frifo a'i siomi. Ond wnaeth o erioed drosglwyddo'r siom yna i mi na gwneud i mi deimlo'n fethiant.

'Caddug' oedd un arall o'r geiriau a achosodd gryn drafferth i mi. Un o'r tasgau yn y dosbarth fyddai gwneud brawddegau yn cynnwys gair a roddid i ni gan yr athro neu'r athrawes. Doedd gen i ddim diddordeb yn y fath ymarfer, a llai byth o ddychymyg i ysgrifennu'r brawddegau. Os mai 'coeden' oedd y gair a roddid, fy nghynnig gorau fyddai, 'Mae coeden yn yr ardd.'

Dychmygwch fy sioc felly o dderbyn y gair 'caddug' i'w roi mewn brawddeg! Beth oedd ystyr y gair i ddechrau? Doedd gen i ddim syniad! Trwy lwc, roeddwn i'n mynd adre am ginio bob dydd, ac roedd Nhad adre'n gweithio yn y stydi bob bore cyn dechrau ar ei waith yn y prynhawn. Gofynnais iddo am 'caddug', ac mi ysgrifennodd frawddeg fel esiampl i mi.

'Mae bron yn amhosibl gweld y Llyfrgell Genedlaethol pan fo caddug yn gorchuddio Penglais.'

Wel, am frawddeg! Ond, doeddwn i ddim mor dwp â chredu y byddai'r athrawon hyd yn oed yn ystyried mai fi oedd wedi ei chyfansoddi. Er gwaetha hynny, 'nôl â fi i'r ysgol a chyflwyno'r gwaith efo balchder. Mi geisiais am ychydig daeru mai fi oedd yr awdur, cyn ildio yn y diwedd a chyfadde'r hyn a wyddai'r athro'n barod!

Mae'n deg dweud nad oedd unrhyw ddisgwyl i fi felly basio arholiad yr 11+. Roeddwn i'n awyddus iawn i'w basio, cofiwch, am un rheswm – byddai hynny'n golygu cael beic newydd. Wrth edrych yn ôl, rhaid cyfadde fod hynny'n hen arferiad sâl a dweud y gwir. Y cyfan y llwyddai i'w gyflawni oedd gwneud y gwahaniaeth rhwng y plant yn amlycach fyth.

'Ma beic newydd 'da ti – ti wedi pasio. Llongyfarchiade. Does dim beic 'da fe – dyw e ddim wedi pasio 'te.'

Dw i'n cofio meddwl ar y pryd mai rhyfedd o beth hefyd oedd rhoi beic i'r rhai fyddai'n mynd i'r ysgol ynghanol y dre a dim beic i'r rhai fyddai'n gorfod mynd yr holl ffordd i fyny Penglais i Ysgol Dinas. Roedd mwy o angen beic arnyn nhw.

Roedd un cwestiwn wedi peri dryswch i mi. Y cwestiwn: 'Beth yw lluosog *woman*?'. Doedd gen i ddim syniad, ond roeddwn wedi sylwi ar gylchgronau gan Mam yn y tŷ ac wedi credu bod y rheini'n cynnig yr ateb. Felly, yn llawn hyder, ysgrifennais 'woman's' ar bapur arholiad yr 11+.

Daeth dydd y canlyniadau. Pawb yn sefyll o flaen y prifathro i'w derbyn ac yntau'n darllen y rhestr. Ninnau'n aros i glywed ai Ardwyn neu Dinas oedd wedi ei osod wrth ein henwau. Roedd ei lais a'i ddull o lefaru'n union yr un fath â'r person fyddai'n arfer darllen canlyniadau'r pêl-droed ar y BBC gynt. Y llais yn codi os mai i Ardwyn roedden ni i fynd, a'r llais yn gostwng os mai Dinas oedd ein tynged.

Daeth at fy enw i. Ac oedodd am eiliad, gan dorri ar lif naturiol ei gyhoeddi.

Roeddwn i wedi pasio. Er gwaetha'r hyn roedd pawb yn ei ddisgwyl ac er gwaetha 'woman's', i'r ysgol ramadeg y byddwn yn mynd ym mis Medi.

Cerddais adre, a'm rhieni'n aros amdana i yn y parlwr ffrynt, gan fy ngwylio drwy'r ffenest wrth i mi gerdded i fyny'r ffordd. Ceisiais guddio 'nheimladau cyn cyhoeddi, er mawr syndod i bawb, fy mod wedi pasio. Roedd eu balchder – ac ychydig o syndod, efallai – yn amlwg!

Felly, roedd cyfnod arall yn fy mywyd bron â dod i ben. Y cysondeb trwy'r cyfan oedd bywyd y capel. Doedd dim gorfodaeth arnon ni i fynd deirgwaith y Sul, roedd jyst rhaid i ni fynd! Bob pnawn Mercher wedyn, 'nôl â fi i'r festri ar gyfer te'r gwragedd, er mwyn cael bwyta'r brechdanau a'r cacennau. Byddai Jymbl Sêls, cyrddau gweddi a chyngherddau yno hefyd. Fy nhad fyddai'n trefnu'r cinio ar ddydd Gŵyl Ddewi'n flynyddol ac yn gwahodd gwŷr gwadd adnabyddus tu hwnt i ddod i siarad yn y ciniawau hyn. Daeth T H Parry-Williams, Gwenallt, Gwilym R Tilsley a Syr Ifan ab Owen Edwards yno, dw i'n cofio. Ond, yn hytrach na chofio sgyrsiau unrhyw un o'r cewri hyn, yr atgof cryfaf sydd gen i o'r ciniawau Gŵyl Ddewi yw'r bwyd. Salad ham i'r oedolion, ac, ymhell cyn dyddiau Monty Python, salad sbam i'r plant!

Diolch i'r arfer o ddweud adnod yn gyhoeddus, dydw i erioed wedi teimlo'n nerfus wrth sefyll o flaen cynulleidfa. Mae hynny'n amlwg wedi bod o help mawr i mi dros y blynyddoedd. Er na ches i erioed mo'r prif rannau yn nramâu'r capel chwaith, eto i gyd roedd y capel yn cynnig patrwm cyson, cryf – y norm i bopeth arall oedd yn newid o'n cwmpas. Roeddwn i'n teimlo'n ddiogel yn Aberystwyth.

PENNOD 3

STÊM A RHAMANT

PRIF ATYNIAD YSGOL GYNRADD Gymraeg Aberystwyth i mi oedd ei lleoliad – reit drws nesa i'r orsaf. Mae'r ddamwain ddaearyddol hapus honno wedi bod yn ddylanwad mawr ar fy mywyd ar hyd y degawdau.

Y pleser a'r cyffro mwya ar ddiwedd diwrnod ysgol oedd neidio dros y wal i fyd o hud a stêm, rhamant a drama gorsaf drenau yn y pumdegau. Gang ohonon ni efo'n gilydd yn rhannu'r un wefr o fentro i'r byd newydd dros y wal bob dydd.

Dyna lle roedd Lein y Cambrian yn mynd ag Aberystwyth i'r byd ac yn dod â'r byd aton ni. O Lundain roedd y rhan fwya o bobl yn dod ac roedd clywed yr acenion gwahanol a gweld y gwisgoedd amrywiol yn rhan o'r ddrama.

'I le ma nhw'n mynd?'

'Ble ma nhw wedi bod?'

'Pwy ydi hi, pwy ydi o?'

'Pam ma nhw efo'i gilydd?'

Dyna'r cwestiynau a ddeuai i'r meddwl wrth greu drama ynglŷn â'r bobl ar blatfform stesion Aber. A ninnau'r gang o blant yn rhan o'r ddrama yng nghwmni'r dieithriaid, a ni a nhw wedi ein taflu at ein gilydd gan y trenau stêm gogoneddus. Byddwn i'n eu cyfarch yn aml, ac yn mentro ambell sgwrs hefyd o bryd i'w gilydd.

Trenau dosbarth Manor oedd yno, a bois y sied yn Aber yn gweithio'n galed i'w cadw ar eu gorau. Roedd y *buffers* wedi eu paentio'n wyn glân, y pres yn sgleinio o fore gwyn tan nos. Cefais fy swyno gan brysurdeb newid y trenau, y mynd a'r dod a'r broses o'u paratoi ar gyfer eu teithiau. Ond yr uchafbwynt i mi oedd sefyll ar y platfform, clywed y stêm yn dechrau codi, y chwiban yn canu a gweld y trên yn diflannu ar hyd y cledrau i'r pellter. Mi ges y pleser hwn cyn bod sôn am gasglu rhifau ac ati.

Yn anffodus, wrth i'r ysgol gynradd droi'n ysgol uwchradd, crebachu wnaeth nifer y gang wrth ochr y cledrau. Cyn hir, roedd y gang lawr i un – dim ond fi!

Roedd pêl-droed yn fwy o atyniad i'r rhan fwya, ac yn ddigon o atyniad i fi hefyd. Yn nyddiau'r ysgol gynradd, roedd gêm fawr bob bore Sadwrn, hyd at bymtheg bob ochr yn aml, lawr ar y cae wrth ymyl yr harbwr yn y Gulan, ac ym Mhlas Crug hefyd. A dydi'r diddordeb mewn pêl-droed ddim wedi pylu. Ond, roedd y trenau'n hawlio mwy a mwy o fy amser wrth i mi ddechrau yn yr ysgol ramadeg.

Pan fydd diddordeb fel 'na'n dechrau cydio, gall un weithred rhoi hwb a mynd ag o dipyn ymhellach. Mi ges i'r fath hwb. Ar y pryd, roedd cyfres o lyfrau wedi ymddangos, *The ABC of British Railways* gan Ian Allen, oedd yn costio dau swllt a chwe cheiniog. Roedd un llyfr i bob rhanbarth rheilffordd trwy Brydain, ac fel anrheg pen-blwydd, mi ges i'r llyfr ar fy rhanbarth i. Y dasg oedd adnabod y trenau amrywiol. Yr anrheg gorau y gallai unrhyw un fod wedi ei roi i mi ar y pryd, heb os! Doedd dim unrhyw siawns i'r diddordeb ddiflannu rŵan!

Er mwyn ceisio ennill mwy o arian – doedd cyflogau gweinidogion yn y pumdegau ddim yn uchel o gwbl – byddai fy rhieni'n cynnig llety i fyfyrwyr yn Aber. Roedden nhw'n cael eu difetha, a dweud y gwir – gwely, brecwast, a phryd o fwyd gyda'r nos, bob nos. Daeth sawl un i aros atom, a phawb yn aros am gyfnodau hir, heblaw am un a barodd wythnos yn unig oherwydd iddo ddod 'nôl wedi meddwi'n dwll un noson!

Un o'r rhai arhosai efo ni pan own i tua deuddeg i dair ar ddeg mlwydd oed oedd Richard Lumley o Middlesborough. A'i brif ddiddordeb? Trenau. Does dim angen dweud i ni'n dau ddod yn ffrindiau da. Gan ei fod yn hŷn, a Mam yn ei adnabod, roedd yn fodlon i fi fynd efo fo ar dripiau i weld gorsafoedd a threnau amrywiol.

Byddem yn mynd ar dripiau i'r Amwythig yn eitha cyson, a'r hyn a wnâi'r ymweliad yn fwy gwerthfawr oedd y ffaith bod Richard yn berchen ar gamera ffilm Cine Super 8. Un o'r pethau dw i'n eu trysori'n fwy na dim arall yw copi VHS o rai o'r ffilmiau Super 8 hynny. Maen nhw'n cynnig blas hyfryd o'r pumdegau a'r chwedegau cynnar, yn gyfle i hel atgofion am yr hyn a wnes i pan own i'n fachgen ifanc, ac yn gofnod o'r cyfnod yn ogystal. Yn achos nifer o bethau, fel y trenau stêm eu hunain, maen nhw wedi diflannu erbyn hyn.

Mae un ffilm yn fy nangos i'n pysgota yn afon Rheidol a thrên stêm yn mynd heibio y tu ôl i fi. Un arall ohona i wedyn yn cerdded tuag at y camera ar hyd ochr trên llonydd yn y stesion ac yn edrych ar y trên o bryd i'w gilydd, cyn dringo i mewn i gaban y gyrrwr a throi i edrych ar y camera. Petai rhywun wedi dweud wrtha i bryd hynny y cawn fy nhalu am wneud yr un peth ymhen blynyddoedd fyddwn i ddim wedi eu credu! Ond mi ddigwyddodd!

A minnau'n cyrraedd y pymtheg oed, ces gyfle i fynd i gartre Richard yn Middlesborough dros wyliau'r Pasg. Cefais weld trenau stêm amrywiol, fel y Mallard enwog yn tynnu nwyddau a chroesi'r Forth Bridge a'r cyfan yn nyddiau ola'r trenau stêm.

Ie, ar fy ngwyliau am bythefnos dros y Pasg a hynny cyn fy arholiadau Lefel O. Mae'n siŵr gen i bod fy rhieni wedi hen dderbyn erbyn hynny na fyddai colli pythefnos yn cael fawr o effaith ar fy nghyraeddiadau academaidd. Dyma un wyrth nad oedd y gweinidog hwn yn credu y gallai ddigwydd!

Erbyn hyn, wrth gofnodi'r geiriau yma, dw i'n dad i ferch sydd newydd sefyll arholiadau TGAU, yn ogystal â bod yn llywodraethwr mewn ysgol gyfun. Felly, dw i wedi cael profiad uniongyrchol o weld y gwaith y bydd pobl ifanc yr oedran yma'n ei gyflawni er mwyn paratoi ar gyfer eu harholiadau. Yn hyn o beth, felly, dydw i ddim yn derbyn yn llwyr y ddadl gyson bod safonau wedi gostwng ac ati. Dw i wedi gweld y gwaith a'r ymroddiad mae nifer fawr ohonyn nhw'n ei roi wrth baratoi at yr arholiadau hyn a dw i'n credu i'r wasg fod yn annheg iawn yn ddiweddar wrth drafod y canlyniadau.

Wedi dweud hynny, ac mae'n bwysig ei ddweud, fuaswn i ddim wedi cyfnewid fy mhrofiadau yn ystod y Pasg hwnnw am bymtheg gradd A* yn y Lefel O! Roedd yn gyfnod hanesyddol ac, o ganlyniad, mae'r hyn wnes i a'r profiadau ges i'n rhai na fyddwn wedi gallu eu cael wedyn.

PENNOD 4

COLDITZ A BUTLINS

'ON'D OEDDEN NHW'N DDYDDIAU da?' mae'r gân yn ei ofyn yn hyderus. Wel, cyn belled ag roedd fy nyddiau i yn Ysgol Ramadeg Ardwyn yn y cwestiwn, nac oedden, doedden nhw ddim. Dim un diwrnod.

Mae'n rhyfedd gorfod dweud hynny. Roedd y cyfnod hwn yn yr ysgol ramadeg yn flynyddoedd pwysig yn fy mywyd, ac yn gyfnod llawer rhy hir i beidio â'i fwynhau.

Roedd Ardwyn yn ysgol ramadeg o'r hen deip, ac yn fersiwn eithafol o'i math. Bu nifer o'r athrawon yno ers ymhell cyn dechrau'r Ail Ryfel Byd a'u hagwedd a'u dulliau dysgu yn perthyn i'r cyfnod hwnnw hefyd. Bu rhai o'r athrawon eraill yn ymladd yn y rhyfel ac efallai i hynny adael ei farc arnyn nhw, yn ddigon naturiol.

Rhaid dweud bod dau o'r athrawon ychydig yn wahanol. Mr Beynon Davies oedd yr athro Cymraeg ac mi actiais i mewn sawl drama ysgol a gynhyrchodd o. Doeddwn i byth yn cael y brif ran ganddo, mae'n rhaid dweud hynny, ond byddwn wrth fy modd yn cael bod yn un o'r cast. Dw i'n cofio yn y blynyddoedd cynnar hefyd, ychydig wedi i mi ddechrau yn Ysgol Ardwyn, y byddai cystadleuaeth perfformio drama bob blwyddyn. Yn y Little Theatre, Aberystwyth, y câi ei chynnal, drws nesa i'r sinema, a'r holl ysgol yn cael mynd i weld y dramâu. Gwnaeth perfformiad un o'r actorion gryn argraff arna i am fod rhaid iddo danio gwn ar lwyfan. Roedd cyffro'r olygfa'n cynyddu nes cyrraedd yr uchafbwynt a Pete Goginan – Peter Davies – yn anelu ac yn tanio gwn ffug. Ond roedd yr ergyd yn gredadwy a dramatig! Gwnaeth actio'r boi yma yn tanio gwn gryn argraff arna i fel disgybl ifanc.

Felly, rhwng fy mhrofiadau prin i o fod mewn cynhyrchiad, er mai ar yr ymylon, a chael defnyddio'r Super 8 i ffilmio efo Richard, mae'n siŵr bod un diddordeb penodol yn dechrau cael ei amlygu. Roedden nhw'n brofiadau gwerth chweil ac mi gyfrannon nhw i raddau at fy nyfodol, dw i'n siŵr o hynny.

Hywel Harris oedd yr athro arall. 'Double H' oedd ein henw ni arno a fo oedd yr athro Celf. Byddai hefyd yn creu cartwnau i'r cylchgrawn *Blodau'r Ffair*, ymhlith pethau eraill. Roeddwn i wrth fy modd yn ei wersi ac er i mi fethu Celf Lefel O, mi awn i'w ddosbarthiadau yn ystod blwyddyn gynta'r chweched, gymaint roeddwn i'n mwynhau'r pwnc ac er mwyn bod yn rhan o'i ddosbarth o, wrth gwrs. Mae'n siŵr gen i fod astudio hanes celf efo Double H yn y chweched wedi datblygu'r diddordeb sydd yn dal gen i mewn gwaith celf heddiw.

Er, mi wnes ei siomi o un tro hefyd. Rhoddodd dasg i ni wneud sgetsh o ddynion wrth eu gwaith. Fel mae'n digwydd, yn eu hymdrechion i godi fy safon academaidd ac i'm hannog at bethau gwell, roedd fy rhieni yn prynu 'comics' fel *Look and Learn* a *Finding Out* i fi. Wel, dyna lwc! Yn union wedi i Hywel Harris osod y dasg yna i ni, ar glawr *Finding Out*, roedd llun o ddau ddyn yn cydio mewn dril olew! Ffwrdd â fi i ddechrau trasio'r llun o'r comig a mynd ag o'n llawn balchder wrth gwrs, i'w ddangos i'r athro.

'Ti wnaeth hwn, Arfon?'

'Ie, Syr,' oedd yr ateb, nid hollol argyhoeddiadol!

Ac wedi i'r sgwrs barhau, bu'n rhaid cyfadde ffynhonnell wreiddiol y llun. Dyna fi 'nôl efo'r 'caddug' unwaith eto!

Alla i ddim haeru bod llawer o uchafbwyntiau i'r dyddiau hynny yn Ardwyn o gwbl. Does gen i ddim problem efo dangos parch at athrawon, na bod â pharchedig ofn chwaith ar adegau. Ond mae eu hofni yn fater cwbl wahanol. A dyna fu'n rhaid i mi ei ddioddef yn Ardwyn.

Ychydig o'r athrawon oedd yn fy ngalw i'n Arfon yn yr ysgol honno. 'Haines Davies' neu 'That Haines Davies boy!' oedd y cyfarchiad yn ddi-ffael. Ac, yn rhyfedd iawn, ychydig sydd wedi fy ngalw i'n Arfon ers hynny. Cefais fy ngalw yn 'Arfi', 'Arf', ac, yn fy nyddiau cynnar yn HTV, 'Big A from Colwyn Bay!'

Roedd derbyn cansen y prifathro neu sliper Mr Mathews yn y gampfa yn brofiadau rhy gyffredin o lawer hefyd, a fy rhieni, yn ddiarwybod iddynt, wedi achosi i mi gael y gansen ar un achlysur.

Mam ffoniodd yr ysgol i gwyno nad own i'n derbyn gwaith cartre o gwbl, a hithau'n meddwl bod hyn yn rhwystro 'natblygiad fel disgybl, gan fod hwnnw'n ddigon amheus beth bynnag. Y gwir oedd fy mod yn sgriblo rhyw ffurf ar waith cartre yn yr ysgol ar ddechrau'r diwrnod neu yn ystod unrhyw fwlch arall posib yn ystod y dydd.

Felly pan fyddai fy rhieni'n holi yn y tŷ, 'Oes gen ti waith cartre?', 'Nac oes' oedd yr ateb bob tro.

Pan ddaeth hyn i'r amlwg felly, ces gansen am ddweud celwydd. Mi fûm i'n cario'r marciau hynny ar fy nghorff am ddyddiau wedyn!

Rhoddodd gwers Ladin farciau ar fy nghorff hefyd ar un achlysur. Ovid oedd y testun, a gofid oedd ei effaith arna i! Y drefn arferol bob amser fyddai i bawb ddarllen brawddeg yn uchel yn eu tro i'r dosbarth. Bob wythnos, wrth fynd dros y gwaith cartre, byddai'r athrawes yn dechrau efo'r un disgybl ac yn dilyn yr un drefn, a finnau wedyn yn gwybod mai fi fyddai'n cael y ddegfed brawddeg, felly dim ond trosi brawddegau naw, deg ac un ar ddeg fyddwn i. Ond, er mawr syndod i mi, un prynhawn, newidiodd yr athrawes y drefn a dechrau yng nghefn y dosbarth! Doeddwn i ddim wedi paratoi'r frawddeg y byddai gofyn i mi ei chyfieithu yn fy nhro. Ac un canlyniad fyddai i hynny. Cerydd arall! Doedd dim amdani. Roedd yn rhaid gwneud rhywbeth drastig.

Cydiais yn fy nghwmpawd mathemateg a sticio'r pen miniog yn fy ngwm er mwyn gwneud iddo waedu!

'Miss! Miss! I'm bleeding, Miss!'

Allan â fi o'r dosbarth ar fy union. Roedd y poen corfforol hwnnw'n well na'r Wrath of Winkler!

Roedd awdurdod y prifathro yn ymestyn y tu allan i glwydi'r ysgol hefyd – yn wir, roedd Aberystwyth gyfan o dan ei glogyn. Wrth gerdded efo ffrind ar hyd y stryd, cydiais mewn llond dwrn o flodau coed ceirios neu rywbeth tebyg, a'u taflu dros fy ffrind. Daeth y prifathro i wybod ac, ie, ymlaen â fi am gansen arall 'for defacing public property'!

Dihangfa bleserus o'r artaith yma oedd cael mynd i gaffi'r Penguin yn Pier Street. Erbyn i mi gyrraedd 14 oed, dyna lle byddwn i'n mynd bob bore Sadwrn efo gang o ffrindiau. Ninnau'n teimlo erbyn hynny ein bod yn tyfu. Dyddiau o ddechrau ffansio merched, ond 'run ohonyn nhw'n fy ffansio i! Beth oedd yn rhyfedd, hyd yn oed mewn tre fel Aber yn y dyddiau hynny, oedd mai prin iawn, os o gwbl, y gwelwn fy hen ffrindiau a aeth i Ysgol

Dinas. Y funud daeth dyddiau gadael ysgol gynradd, dyna ni. Un grŵp yn mynd un ffordd a'r grŵp arall y ffordd arall, a hynny er inni chwarae pêl-droed efo'n gilydd bob bore Sadwrn yn ffyddlon am flynyddoedd. Rhyfedd.

Doedd dim cerddoriaeth yn y Penguin – yn yr Home Caffi roedd y jiwc bocs, ond myfyrwyr fyddai'n mynd yno. Doeddwn i ddim yn ddigon hen i hynny eto. Ond roedd digon o siarad am gerddoriaeth yn y Penguin, wrth i ni eistedd yn y 'bucket seats' gan sipian 'frothy coffee' am oriau. Mr Antoniazzi oedd berchen ar y lle, ac roedd yn ddyn hael iawn i gapel Nhad pan gâi partïon arbennig neu jymbl sêls eu cynnal. Cyfrannodd alwyni o de a choffi yn rhad ac am ddim am flynyddoedd.

Ond os oedd mynd i'r Penguin yn arwydd o dyfu i fyny, stori arall oedd y cam nesa. Dechrau'r dirywiad oedd ymweld â'r Liberal Club, lle'r awn i'n syth ar ôl ysgol cyn mynd adre i de. Dyna beth oedd nefoedd ar y ddaear – roedd 5 bwrdd snwcer llawn yno a dim ond swllt am gêm. Roedd yn lle poblogaidd iawn, hyd yn oed yn y dyddiau ymhell cyn cyfnod Pot Black. Hyd yn oed heb ramantu, alla i ddim dweud ein bod yn fechgyn drwg yn y cyfnod hwnnw, ond yn sicr roedden ni'n ddireidus. Câi'r rheolwr, Mr Rees, amser caled iawn gan bob un ohonon ni, druan. Tra byddai nifer o'r hen fois yn chwarae biliards ar y byrddau eraill, dw i ddim yn gwybod sawl gwaith y cafodd wyneb y bwrdd snwcer ei rwygo, hoffwn i ddim dweud. Ond mi alla i ddweud yn ddigon balch na rwygais i erioed yr un *baize*! Clywed y rhwygo yna oedd y sŵn gwaetha yn y byd.

Ein hoff gêm yno oedd gêm o'r enw Golff, a gâi ei chwarae ar y bwrdd snwcer. Dydw i ddim wedi dod ar draws y gêm yn cael ei chwarae yn unman arall ers hynny. Os cofiaf yn iawn, y drefn oedd bod pedwar ohonon ni'n chwarae ar y tro, a dwy bêl yr un gynnon ni. Y chwaraewr cyntaf efo'r wen a'r goch; yr ail efo'r felen a'r werdd; y trydydd efo'r frown a'r las; a'r pedwerydd efo'r binc a'r ddu. Roedd pob chwaraewr yn anelu at yr un twll ac yn defnyddio un o'i beli i daro'r bêl arall i'r twll, oedd wedi ei ddewis ymlaen llaw a'i enwi yn ôl pa ddiwrnod o'r wythnos oedd hi – diolch byth mai dim ond chwech twll sydd ac nad oedd raid, y dyddiau hynny, enwi twll ar ôl y Sul! Pocedi'r Sadwrn a Llun oedd yn cynnig y sialens fwyaf am eu bod ym mhen isa'r bwrdd a'r peli'n gorfod mynd i fyny ac i lawr y bwrdd yn aml i gyrraedd y nod. Os oedd peli chwaraewyr eraill yn y ffordd, yna roedd yn rhaid eu taro nhw allan o'r ffordd, a hynny'n cymryd cyfuniad o sgil a bôn braich.

Roedd yn gêm ffantastig a doedd hanner awr ddim yn ddigon – yn wir, byddai'n cymryd dros awr yn aml am fod yn rhaid ei chwarae i'r diwedd yn deg. Ac mi wnes i dreulio oriau di-ri yn ei chwarae – ond dim ond ar y bwrdd ucha roedden ni'n cael chwarae Golff. Tybed a oes rhywun arall yn cofio'r gêm hon?

Os yw'r gêm yn swnio'n gymhleth, dydi hi ddim hanner mor gymhleth â'r cwis teledu *Am y Boced* y bûm yn ei gyflwyno unwaith, yn seiliedig ar snwcer. Câi'r cyflwynydd waith anodd iawn yn esbonio rheolau'r gêm pan nad oedd o ei hunan yn eu deall yn dda iawn. Diolch i'r drefn am *autocue*! O leia roeddwn i'n gallu darllen y rheolau. Un anfantais arall i'r gyfres oedd i'r cynhyrchydd ddweud bod angen i fi wisgo siwmper bob wythnos i gyd-fynd â lliwiau'r peli snwcer. Doedd hynny ddim yn broblem am y rhan fwyaf o'r rhaglenni, ond roedd rhaglenni 2 a 6 yn achosi cryn ofid! Doeddwn i ddim yn arfer gwisgo melyn na phinc!

Trodd y Liberal Club yn fan cyfarfod hyd yn oed pan na

fydden ni am chwarae snwcer. Roedd rhyw dywyllwch yn perthyn i'r lle, rhywbeth cyfrin yn llechu yn y cysgodion a grëwyd gan olau llachar pum bwrdd snwcer ynghanol môr o dywyllwch, byd oedolion go iawn y cawn i fentro iddo.

Doedd gan fy nhad ddim gwrthwynebiad amlwg i mi fynd yno, a dim byd yn sicr yn erbyn y lle ei hun. Yr unig bryder oedd falle 'mod i'n gwastraffu gormod o amser yn mynd yno, amser a allai gael ei ddefnyddio at bethau mwy defnyddiol fel gwaith cartre, er enghraifft! Roedd hwn yn bwynt cyffredinol ac yn cynnwys llawer mwy na'r Liberal Club: y gerddoriaeth y byddwn yn gwrando arni; y trenau roeddwn i'n eu dilyn; y ffilmiau yr awn i'w gweld yn y sinema; yn ogystal â'r snwcer a chwaraewn.

Y gwir amdani oedd mai'r pethau hyn oedd yn fy ngalluogi i ddygymod â diflastod yr ysgol. Y rhain oedd yn cynnig hapusrwydd a oedd yn gwneud iawn am anhapusrwydd yr ysgol. Roedd un ffordd o ennill ffafr yr athrawon, un ffordd syml iawn – chwarae rygbi. Dyna oedd prif bwyslais chwaraeon yr ysgol. Dim pêl-droed, y gêm roeddwn i'n ei hoffi. Yn yr haf, byddai criced yn magu'r un pwysigrwydd. Mae gen i gof am un bachgen yn cael ei esgusodi rhag ysgrifennu gair mewn gwers am fod yr athro wedi rhoi caniatâd iddo wisgo menig criced drwy'r wers, fel y byddai'n dod yn gyfarwydd â nhw erbyn gêm bwysig rai dyddiau'n ddiweddarach!

Wrth i gyfnod Lefel O agosáu, fy agwedd, yn ddigon syml, oedd eu bod, yn fy marn i, yn 'unfortunate necessity' a dyna i gyd.

Erbyn i gyfnod yr arholiadau gyrraedd roedd cymaint o'r athrawon yn dweud wrtha i nad oedd unrhyw bwynt i mi sefyll yr arholiad o gwbl, roedd y peth bron yn chwerthinllyd. Dyna oedd neges yr athrawesau Ffrangeg a Lladin yn sicr. Y consensws oedd, 'Rwyt ti wedi astudio'r pwnc 'ma am bum mlynedd a ti ddim yn gwybod mwy rŵan nag oeddet ti pan ddechreuest ti. Felly beth yw'r pwynt?'.

Erbyn diwrnod y canlyniadau, roeddwn i ar fy ngwyliau efo fy rhieni yng nghartre gwyliau'r Methodistiaid yn Angmering on Sea ar arfordir deheuol Lloegr. Daeth y dydd o brysur bwyso, ac roedd agor yr amlen yn brofiad nerfus, llawn tensiwn. Llwyddais i grafu 4 Lefel O! Mae gen i lun ohonof i, fy rhieni a'r llythyr tyngedfennol, a'm rhieni, er clod iddyn nhw, yn edrych mor falch ohona i. Llwyddais i basio Cymraeg Iaith a Llenyddiaeth, Saesneg Iaith, a Hanes. Yr unig reswm i mi basio Hanes oedd i mi baratoi ar gyfer ateb pedwar cwestiwn ac mi ymddangosodd y pedwar ar y papur arholiad. Gwnes yr un peth efo Daearyddiaeth, ond heb i'r un o'r pedwar ymddangos. Dw i'n cofio un cwestiwn ynglŷn â 'the industrial landscape of the Rhur Valley' a finnau heb 'run syniad ym mha wlad roedd y Rhur Valley, felly doedd gen i ddim gobaith i ateb y cwestiwn. Yn Saesneg Llên, roedd cwestiwn ar lyfr doeddwn i ddim wedi ei ddarllen.

Roedd un cwestiwn mawr heb ei ateb serch hynny – beth oedd yn bosib i mi ei astudio yn y chweched? Yr ymateb ges i gan yr athrawon wedi mynd 'nôl i drafod hynny efo nhw oedd, 'No way. Not a good idea,' ac ati. Arweiniad clir a phendant felly!

Wedi rowndiau cymhleth o drafod a chytuno i ailsefyll ac yn y blaen, penderfynais astudio Cymraeg, Hanes ac, ie, Daearyddiaeth ar gyfer Lefel A. Anodd credu!

Ond, a finnau wedi cwblhau blwyddyn yn y chweched dosbarth, torrwyd ar draws patrwm bywyd Aberystwyth pan gafodd Nhad alwad i ofalu am gapeli yn nghylchdaith Treffynnon.

Doedd y newid hwnnw hyd yn oed ddim yn esgus digonol i dynnu'r dychan o enau athrawon Ardwyn. Un pnawn, o flaen y dosbarth, penderfynodd un athro wneud datganiad:

'Fydd Haines Davies ddim efo ni fory. Mae'n mynd i Dreffynnon i weld a ydi'r ysgol yn y fan honno'n ddigon da iddo fo!'

Oedden nhw'n cael rhyw bleser o fod yn greulon, tybed?

Beth bynnag, roedd yn amser gadael Ardwyn a finnau'n ysu am wneud hynny.

Yn ddiweddar, cefais sgwrs efo Catrin, y ferch, ynglŷn a fy llwyddiannau academaidd adeg Lefel O yn benodol, gan ei sicrhau bod popeth wedi newid yn sylweddol ers y dyddiau hynny. Er enghraifft, mae'r bunt yn werth pedair gwaith yn fwy heddiw nag oedd bryd hynny. Mae pris petrol gymaint â phedair gwaith yn fwy. Felly, gan ddilyn y rhesymeg, os cefais i 4 Lefel O bryd hynny, erbyn heddiw mae gen i gyfwerth â 16 Lefel O. Ond, dydi'r fath resymu ddim wedi argyhoeddi Catrin...

'Na, Dad, 4 Lefel O ges di a dyna'i diwedd hi.'

Felly, wrth droi tua'r gogledd, ystadegau fy nghyfnod yn Ardwyn oedd: 4 Lefel O, 12 cansen gan y prifathro ar fy mhen-ôl ac wyth ar fy llaw!

Ond gadael fu raid. Mi es i weld Ysgol Uwchradd Treffynnon – yr ysgol lle bu'r actor Emlyn Williams – efo'r bwriad o fynd yno ar gyfer ail flwyddyn y chweched.

Dros de efo rhai o aelodau Nhad yn un o'r capeli newydd yn Lloc ger Treffynnon, trodd y sgwrs at ble byddwn i'n mynd i'r ysgol. Pan ddaeth yr ateb, 'Ysgol Uwchradd Treffynnon', cwestiwn syml y teulu oedd, 'Pam nad ydi o'n mynd i Ysgol Glan Clwyd?'.

Wel, y funud i Nhad ddeall bod y fath ysgol o fewn cyrraedd, doeddwn i ddim i fynd i Dreffynnon eiliad yn hirach. Newidiais eto, gan ddechrau yn Ysgol Gyfun Ddwyieithog Glan Clwyd.

Am wahaniaeth! Yr adeilad. Yr iaith. Yr arogl hyd yn oed. Pawb yn fy ngalw i'n Arfon! Roeddwn wedi gwirioni efo'r cyfan. Gymaint felly nes i mi fod yn orfrwdfrydig mewn sgwrs efo'r prifathro, Desmond Healy, ar ôl bod yno am tua pythefnos.

'Sut wyt ti'n mwynhau, Arfon?'

'O! Arbennig, Syr – grêt! Mae o fel symud o Colditz i Butlins!'

A ffwrdd â fi gan adael Mr Healey yn gegrwth am i mi gymharu ei ysgol â gwersyll gwyliau!

Ond i mi, dyna sut roedd crynhoi'r gwahaniaeth. Roedd yr athrawon yn ein trin fel unigolion, nid fel milwyr. Dyna oedd un o flynyddoedd hapusa 'mywyd, am y rhesymau anghywir o bosib, ond doedd dim gwadu'r llawenydd.

Ar gyfer Lefel A, penderfynais ollwng Hanes a Daearyddiaeth, gan barhau efo'r Gymraeg ac astudio Ysgrythur mewn blwyddyn efo help fy nhad.

Cefais 13% yn arholiad ffug Ysgrythur! Doedd pob dim ddim wedi newid felly. Doedd y Gymraeg fawr gwell a bu'n rhaid i mi fynd i swyddfa'r prifathro i esbonio adroddiad mor warthus. Yn dilyn y cyfarfod, penderfynwyd ffonio Nhad a gofyn iddo ddod i'r ysgol i drafod y sefyllfa.

Y neges oedd nad oedd fawr o bwrpas i mi sefyll yr arholiadau Lefel A, ac felly nad oedd fawr o bwynt i mi fod yn yr ysgol, os nad own i am weithio i lwyddo. Er i'r prifathro ymhelaethu, roedd yr hyn a ddywedodd Nhad wrthyf wedi mynd adre yn pwyso mwy ar fy meddwl. Nid cerydd oedd ganddo, ond rhywbeth llawer mwy effeithiol.

'Rwyt ti wedi clywed beth oedd gan y prifathro i'w ddweud, rhaid i ti benderfynu rŵan, Arfon.'

Byddai cerydd wedi bod yn haws ei dderbyn.

Ond roedd nifer o bethau eraill y gwnes i eu mwynhau yng Nglan Clwyd. Chwarae pêl-droed er enghraifft. Chwaraeais i dîm yr ysgol. Parhaodd y cysylltiad efo dramâu ysgol, ac er mai rhannau ymylol a gawn, roedd y diddordeb yn dal yno. Roedd perthyn i'r clwb trafod yn brofiad hollol newydd ac roeddwn i wrth fy modd yn aelod ohono.

Cynhaliodd yr ysgol etholiad ffug, adeg yr Etholiad Cyffredinol yn 1966 – un digon hanesyddol, fel y digwyddodd, ond roedd yn un hanesyddol i minnau hefyd, yn fy ffordd fach fy hun! Fi oedd yr ymgeisydd dros y Blaid Lafur. Roedd yn rhaid canfasio ar sail maniffesto roeddwn i wedi ei greu, a thraddodi areithiau i berswadio pobl mai gen i roedd yr atebion. Ac ar ddiwedd y cyfan, fi enillodd!

Yn fwy na dim arall, yr hyn roddodd Glan Clwyd i mi oedd y syniad o berthyn, fy mod yn rhan o rywbeth. Ac roedd hynny'n ganlyniad i'r ffaith iddyn nhw greu ymwybyddiaeth ynof fy mod yn unigolyn a rhywbeth ganddo i'w gynnig. Doeddwn i'n neb yn Ardwyn, heb enw cyntaf hyd yn oed. Ond mi ddes yn ymwybodol o hunan werth yng Nglan Clwyd. Fi oedd fi, ac roeddwn i'n dechrau deall beth roedd hynny yn ei olygu hefyd. Efallai nad oedd canlyniadau Lefel A yr ysgol gystal â rhai Ardwyn, ond mae dysgu rhywbeth fel yna'n werthfawr tu hwnt ac yn brofiad bywyd amhrisiadwy.

PENNOD 5

MAB Y MANS

ROEDDWN I BELLACH WEDI cyrraedd y deunaw oed. Ar hyd y blynyddoedd hynny, trwy'r holl symud tŷ a'r datblygiadau personol amrywiol, roedd un ffactor cyson. Roeddwn i'n fab i fy rhieni, yn amlwg, ond, yn fwy na hynny, yn fab y mans. Daw hynny â'i ystyriaethau a'i oblygiadau ei hun yn ei sgil ac mae'r ystyriaethau hynny, ar hyd y blynyddoedd, wedi mynd a dod, newid ac addasu, ac wedi cysuro a chynddeiriogi.

Soniais eisoes fod y gweinidog a'i deulu'n ddibynnol ar haelioni aelodau'r capel i raddau helaeth. Daeth hynny'n amlwg o ddyddiau cynnar fy mhlentyndod yn Llandeilo ac roedd yn parhau'n amlwg yn Aberystwyth.

Dydw i ddim yn cofio gorfod bod heb fawr ddim, yn enwedig angenrheidiau megis dillad. Dw i wedi sôn am gwmni Pritchard Brothers eisoes, ac roedd mab Mr Pritchard yn ffynhonnell gyson o ddillad i mi.

Cefais siaced Harris Tweed gan Richard Pritchard unwaith, ac o, roeddwn i mor falch o'r siaced honno! Un prynhawn yn Aberystwyth, roeddwn i'n chwarae pêl-droed a bu'n rhaid i mi ddefnyddio'r siaced fel un o'r pyst gôl, rhywbeth digon naturiol ar y pryd ac yn arwydd o statws hefyd ymhlith y bechgyn.

Âi'r gêm yn ei blaen yn hwyliog, tan i un o'r bechgyn gicio'r bêl yn rhy bell. Hedfanodd dros y clawdd i ardd teulu cyfagos a chwalu'r tŷ gwydr yn deilchion! Allan â'r perchennog a'i wynt yn ei ddwrn a'i dymer yn amlwg i bawb. Rhedodd ar draws y stryd ar ein holau gan fy nghyflwyno â dilema moesol dybryd. Beth own i i'w wneud? Rhedeg am fy mywyd? Neu mynd i 'nôl y siaced werthfawr yn gyntaf?

Daeth egwyddorion Darwin yn anymwybodol i'r amlwg, a hunangynhaliaeth oedd bwysica. I ffwrdd â fi efo'r bechgyn eraill i ddiogelwch strydoedd Aber.

Ond, soniais eisoes am gyrhaeddiad clogyn y prifathro. Ac, yn sicr ddigon, y bore canlynol roedd ganddo araith danllyd ar gyfer pawb oedd yn y gwasanaeth boreol. Cyfeiriodd at 'act of vandalism' gan rai o fechgyn yr ysgol ac ymbiliodd arnynt i ddangos pwy oedd yn gyfrifol am y fath weithred ofnadwy. Wedi tawelwch llethol, pan oedd disgwyl i'r troseddwyr gyfadde popeth, datgelodd ei fod yn gwybod pwy oedd un o'r dihirod, ond nad oedd yn ddisgybl yn Ardwyn.

Neb llai nag un Richard Pritchard! Roedd ei enw ar y siaced.

Dyna fy nghyflwyno â dilema foesol arall. Cyfaddef wrth y prifathro mai fi oedd berchen y siaced, neu gyfaddef wrth Mam fy mod wedi colli'r siaced. O'r fath argyfwng a finnau mor ifanc. Beth bynnag oedd y canlyniad, dw i yma o hyd.

Ychydig yn llai trafferthus oedd y ffaith i Nhad dderbyn bocseidiau o stwff gan siop ddillad wrth ymyl ei gapel yn Aber. Yn eu plith, 3 bocs yn llawn teis! Ie, tri bocs o deis yn unig! Roedd nifer ohonyn nhw'n rhai Paisley llydan, rhai llachar ymhell cyn dyddiau Flower Power y 60au. Doedd dim dadl. Roedd yn rhaid i mi gael eu gwisgo wrth gerdded o amgylch Aberystwyth. Mab y mans, efallai, ond jac the lád hefyd!

Roedd y gwrthdaro, wrth gwrs, yn fwy poenus pan fyddai'n dod i sylw Nhad ei hun. Mi ddigwyddodd hynny yng nghyd-destun rhegi ac ysmygu, yn ôl yr hyn dw i'n ei gofio.

Roedd sied yng ngardd y mans. Ar brynhawn digon cyffredin, roeddwn i yn y sied efo ffrind i mi a'r ddau ohonon ni wedi mentro smygu. Gwelswn ddigon o aelodau'r teulu â chetyn yn eu ceg yn barhaus, felly beth oedd o'i le mewn rhoi cynnig arni ein hunain? A ninnau yng nghanol brwdfrydedd ein mwg, cerddodd Nhad heibio ffenest y sied, edrych i mewn, a cherdded heibio.

Roedd yr argyfwng yn pwyso'n drwm arna i. Gadewais y sied, a mynd 'nôl i'r tŷ a Nhad yn dweud 'run gair am y digwyddiad. Daeth amser te, ac yntau'n dal heb ddweud gair. Roedd yr holl beth yn corddi yn fy stumog. Oriau wedi mynd heibio a neb wedi dweud gair wrtha i. Yna, o gwmpas y bwrdd bwyd, roeddwn i wedi cael digon.

'Ydych chi'n mynd i ddweud rhywbeth ynglŷn â gynne neu beidio?'

'Arfon, os wyt ti'n gallu fforddio prynu'r petha 'na, mae gen ti fwy o arian o bell ffordd nag sydd gen i.'

A dyna ddod â'r pwnc i ben. Fel yna.

Wrth chwarae pêl-droed efo ffrindiau yn yr ardd gefn, a finnau'n meddwl ei fod ymhellach nag oedd o mewn gwirionedd, cefais achos i ollwng rheg anferthol i'r pedwar gwynt. Heb yn wybod i mi, roedd Nhad yn sefyll yn un o stafelloedd y llofft a'r ffenest ar agor. Cyn i mi wybod beth oedd yn digwydd, roedd yn yr ardd ac yn cydio yn fy nghlust. Llusgodd fi drwy'r ardd o flaen fy ffrindiau, i fyny i'r llofft, i'r stafell ymolchi, gan fy ngorfodi i olchi 'ngheg efo dŵr a sebon.

Dyna pryd y teimlais i go iawn fy mod yn fab y mans!

Dydw i ddim yn gwybod ai achlysuron o'r fath arweiniodd at y ffaith na chefais fawr o awydd fy hun i fod yn weinidog nag yn bregethwr hyd yn oed. Dim ond ar un achlysur dw i'n cofio i mi fynegi'r fath awydd.

Roedd yn arfer gan Nhad fynd â ni am dro yn y car i lecynnau gwahanol yng nghefn gwlad. Yn naturiol ddigon byddai'r cyrchfannau hyn yn aml yn ymwneud â hanes crefyddol Cymru. Wedi un daith i Langeitho, a dysgu am hanes Daniel Rowland, gwelais gerflun iddo ar ochr y ffordd.

Fy ymateb ar y pryd oedd datgan fy mod eisiau bod yn bregethwr, am y byddwn wedyn yn cael cofgolofn ar ochr y ffordd er cof amdanaf. Dyna'r agosa y des i at fod eisiau dilyn gyrfa Nhad, a hynny heb fod am y rhesymau cywir chwaith!

Un o ganlyniadau ein hoes gyfryngol ydi fod pobl yn ystyried gwaith elusennol yn rhan o broffil cyhoeddus sêr y cyfryngau y dyddiau hyn. Yn fy achos i, y gwir amdani yw mai dylanwad gwaith Nhad yw'r gweithgareddau elusennol dw i wedi bod ynghlwm â nhw ers blynyddoedd lawer bellach. Yn benodol, gwaith Nhad efo elusen TB yng Ngheredigion.

Fo oedd un o'r rhai fu'n gyfrifol am sefydlu Cymdeithas TB Ceredigion, ynghyd â phobl fel y gwerthwr tai, Jim Raw-Rees. Roeddwn i'n hen gyfarwydd â sefyll ar gornel strydoedd yn Aberystwyth yn ysgwyd tun casglu arian ar gyfer yr elusen honno a nifer o elusennau eraill. Y nod efo'r elusen TB oedd casglu digon o arian i brynu set deledu ar gyfer pob sanatoriwm TB yn yr ardal – Tregaron, Llanybydder ac ati. Un teledu ar gyfer yr ysbyty gyfan, cofiwch, nid un i bob ward!

Pan ddeuai dydd baneri mis Medi wedyn, byddai

angen teithio i bob cornel o'r sir er mwyn dosbarthu'r blychau casglu. Aem fel teulu ar dripiau drwy'r Sir efo Nhad i'w trosglwyddo. Ym Mrynhoffnant, wrth fynd ar y fath daith, y ces fynd i mewn i dafarn go iawn am y tro cynta. Ar gyrion Synod Inn, yn ffermdy New Georgia, roedd croeso arbennig gan y chwiorydd Glesni a Valmai. Fydden ni byth yn mynd oddi yno heb fod yn cario llond sach o fwydydd gwahanol efo ni.

Roedd yr holl brofiad yn wers ynglŷn â hanes, daearyddiaeth a chrefydd Cymru, ond hefyd yn wers fywyd werthfawr, lle cefais weld â'm llygaid fy hun mai'r rhai â chanddynt leia sy'n barod i roi fwya.

Mae'n siŵr ei bod yn ddigon caled ar fy rhieni, ond ches i erioed mo'r argraff fod pethau'n anodd. Yn ogystal â'r teithiau elusennol hyn, roedd tripiau yn y car yn ddigwyddiadau cyson i ni fel teulu. Yn aml ar ôl ysgol, aem am bicnic i Glarach gan adael am chwech er mwyn i Nhad fod 'nôl i ryw gyfarfod neu'i gilydd. Yn y dyddiau hynny, roedd Nhad a Mam wastad yno, yn cyfrannu at hafan hir ac awyr las fy mywyd yn y cyfnod.

Un peth penodol ddaeth â'r 'runs' pnawn Sadwrn i ben oedd llwyddiant fy chwaer yn yr eisteddfodau. Trodd y tripiau yma'n esgus i fynd â Catherine i'r eisteddfod hon a'r llall ac arall. Doedd gen i fawr o awydd bod yn rhan o hynny a gorfod aros o gwmpas am oriau yn disgwyl amdani cyn mynd yn ein blaenau. Felly, gofynnwn am gael fy esgusodi yn fwyfwy cyson, a chyn hir, roedd chwarae pêl-droed ar bnawn Sadwrn yn fwy pwysig i mi.

O safbwynt fy nghred bersonol, roedd dyddiau Aber yn ddyddiau o ddechrau cwestiynu fy rôl fel mab y mans. Bryn Fôn sy'n canu am 'Gadw'r Sabath'. Ac fel yn y gân, roedd pwysau'r Sul yn dechrau cynyddu ar fy ysgwyddau wrth i mi dyfu'n hŷn a dod i ddeall patrwm bywyd fy ffrindiau. Bydden nhw'n cael mynd i'r traeth a chwarae tennis pan fyddai'n rhaid i mi fynd i'r capel.

Ychydig iawn o'm ffrindiau oedd yn mynd i'r capel deirgwaith y Sul fel y gwnawn i. Hyd yn oed yn y dyddiau hynny, doedd y capeli ddim yn orlawn. Ychydig iawn o bobl fy oedran i oedd yn yr Ysgol Sul a llai fyth yn mynd i'r capel yn rheolaidd ar y Sul. Pam roedd yn rhaid i mi fynd, felly? I'r rhai ohonon ni fyddai'n mynychu'r capel yn rheolaidd, roedd yn fwy o ddisgwyliad na gorfodaeth, a dyletswydd yn pwyso'n drwm arnon ni heb i ni ei gwestiynu rhyw lawer ar y pryd chwaith. Pam tybed?

Ond, yng ngwres yr haul, a phawb arall yn mynd i gyfeiriadau gwahanol, doeddwn i ddim yn teimlo'n hapus. Roeddwn i'n teimlo'n lletchwith. Doedd mynd i'r capel ddim yn cyd-fynd â delwedd y Rolling Stones ac roedd yn rhaid dechrau cyfnod o wrthryfela a chwestiynu.

Roedd y cwestiynu ar ddwy lefel. Yn gynta, pam y dylen i wneud rhywbeth nad oedd pobol ifanc yr un oedran â fi yn ei wneud. Roedd hyn yn cynnwys gwrthryfela yn erbyn gorfodaeth yn ymwneud â hyd y gwallt a'r pethau arferol y bydd ieuenctid yn gwrthryfela yn eu herbyn.

Doeddwn i byth yn dadlau hefo Nhad am bynciau crefyddol, diwinyddol. Ond dw i'n cofio cyfres ar y teledu neu'r radio, lle'r oedd cyfle i bobl anfon cwestiynau atynt. Ces ddigon o hyder i ysgrifennu ac anfon cwestiwn yn holi pam bod aberth Crist ar y Groes yn wahanol i aberth pobl eraill a losgwyd neu a laddwyd dros achos mewn rhyfeloedd neu ymgyrchoedd eraill.

Pe bai'r cwestiwn yn cael ei ddarllen ar y rhaglen, byddwn yn derbyn £2. Chlywais i mo'r rhaglen yn cael ei darlledu, ond dw i'n cofio Nhad yn dod ataf un diwrnod a chyflwyno siec i fi am £2. Mae'n amlwg i 'nghwestiwn gael ei ddarlledu a'i drafod. Ond beth oedd trafodaeth y gwybodusion ar y panel a beth oedd ymateb fy nhad? Cha' i byth wybod.

Ond roedd yn arwydd sicr fy mod yn dechrau meddwl. Yn dechrau cwestiynu'r hyn na fyddwn yn credu bod gen i'r hawl i'w wneud yn y blynyddoedd cynt. Efallai nad oedd atebion, ond roedd yr hawl i gwestiynu yn rhywbeth newydd.

Trwy gydol dyddiau'r holi, roedd un dylanwad crefyddol yn parhau'n ddi-gwestiwn. Roedd gen i, ac mae gen i, edmygedd a rhyw ddiddordeb parhaol mewn cenhadon. Nhw oedd Indiana Jones y cyfnod! Pobl oedd yn fodlon mentro ar anturiaethau blaengar a helbulus ac yn corddi fy nychymyg fel y gwnâi rhai o'r arwyr ar y sgrin. Roedd rhywbeth egsotig amdanyn nhw wrth iddyn nhw sôn am eu teithiau i wledydd pell yn Affrica a China ac ati.

Gwnaeth un genhades gryn argraff arna i. Un noson, yn y Tabernacl yn Aberystwyth, roedd y genhades enwog, Gladys Aylward, yno'n siarad am ei helyntion yn China. Menyw fechan o ran corff, tua 4 troedfedd 10 modfedd, ond roedd ganddi straeon anturus y gellid eu cymharu â straeon gorau unrhyw awdur ffuglen. Ymhen rhai blynyddoedd, gwnaed ffilm am ei bywyd. Ffilmiwyd rhannau helaeth ohoni yng ngogledd Cymru a chwaraewyd rhan Gladys Aylward gan neb llai nag Ingrid Bergman.

Hyd yn oed a finnau ond yn fachgen un ar ddeg mlwydd oed yn gwylio'r ffilm, gwelwn fod y castio'n chwithig tu hwnt. Ingrid Bergman, pum troedfedd deg modfedd yn chwarae rhan Gladys Aylward, a hithau ond yn bedair troedfedd deg modfedd ym mhulpud capel Tabernacl. Ond er gwaetha'r tric Hollywood amrwd hwnnw, mae'n dal yn un o'm hoff ffilmiau.

Roedd clywed am bobl debyg iddi yn gadael cefn gwlad Cymru a mentro am fisoedd ar y moroedd cyn cyrraedd eu gwledydd cenhadol, estron, cyntefig, yn fy llenwi ag edmygedd a chyffro yn ddi-os. Clywais nifer ohonyn nhw'n siarad mewn cyfarfodydd cyhoeddus, ac er gwaetha'r cwestiynu a'r amheuon personol, roeddwn i'n edmygu eu cred a'u didwylledd.

Mae'n ddiddorol cofio a nodi i mi siarad mwy efo Nhad am genhadon nag am unrhyw bwnc crefyddol arall. Ac roedden nhw yn eu tro, yn gymaint o arwyr a sêr Hollywood a phêl-droedwyr y cyfnod yn sicr. Roedden nhw'n gwisgo'n wahanol, yn edrych yn wahanol, roedd ochr beryglus, ddramatig i'w personoliaeth a oedd yn gwbl wahanol i'r rhai a lenwai bulpudau Cymru er mwyn rhannu'r un neges o Sul i Sul. Dw i'n cofio un yn dod aton ni yn Aber yn gwisgo siaced lin wen a het panama, nid y siwt ddu a thei y byddai Nhad yn eu gwisgo o Sul i Sul! Roedd eu delwedd hyd yn oed pan oeddent yng Nghymru yn wahanol.

Roedd eu cred mor gryf nes bod yn rhaid iddynt fynd i eithafion daear i rannu eu neges. Chawn i ddim problem canolbwyntio pan fydden nhw'n annerch cynulleidfa ac yn sôn am eu hanturiaethau peryglus mewn gwledydd cyntefig. Yn fwy aml na pheidio, roedden nhw'n dod ag anrhegion a chreiriau i'r cyfarfodydd, rhai na fyddai heddiw, mae'n siŵr, ddim yn rhyw wleidyddol gywir – creiriau wedi eu gwneud o ifori, er enghraifft.

Byddwn yn gofyn am lofnod pobl mewn cyfarfodydd cyhoeddus yn y capeli a hynny am eu bod yn dod o wledydd fel Ffrainc a Sbaen. Mor rhyfedd mae hynny'n swnio heddiw! Ond ar y pryd, roedd yn tanio'r dychymyg. Dyna sut roedd y byd yn fy nghyrraedd i yn y dyddiau hynny. Nid trwy deledu, ond trwy wrando ar anturiaethau cenhadon o bulpudau Cymru a siarad â nhw wedyn yn y capel neu ar yr aelwyd adre am y byd mawr y tu hwnt i 'ngorwelion i yn Aber.

Fy arwyr cynnar, mae'n siŵr gen i, heblaw am y cenhadon, oedd y gweinidogion a ddôi i aros efo ni pan fydden nhw'n pregethu yn Aber. *A-List celebs* y cyfnod oedd yr hoelion wyth go iawn! Dr Sangster, Leslie Weatherhead, Dr Martyn Lloyd-Jones a hefyd, wrth gwrs, y tri 'T': Tecwyn, Tegla a Tilsli!

Ac un yn arbennig: Donald Soper. Roeddwn wrth fy modd yn clywed y straeon amdano ar Speakers' Corner yn Hyde Park, Llundain – ei areithiau ffraeth, poblogaidd a ddenai gannoedd i'w glywed yn yr awyr agored. Dw i'n dal i gofio un o'r straeon a glywais amdano, sy'n darlunio'r ffordd glyfar, gyflym y byddai'n ateb yr *hecklers*.

Wrth iddo siarad yn Speakers' Corner, dyma rywun digon budr a blêr yr olwg yn gweiddi arno fo:

'The Bible's no good for us today – it's irrelevant!'

'Dear sir, it's obvious that soap is irrelevant to you, but you could still do with some!'

Mi ddaeth i aros efo ni un tro, ac, wel, roedd fel petai'r Pab wedi galw i'n gweld. Bu paratoi am bron i fis cyn hynny, dw i'n sicr, er mwyn gwneud yn siŵr bod pob dim yn iawn a bod digon o fwyd yn y tŷ ac ati.

Flynyddoedd yn ddiweddarach, a finnau wedi cyrraedd HTV, cefais gyfle i'w holi ar gyfer cyfres o'r enw *Heroes*. I fyny â fi i Dŷ'r Arglwyddi yn Llundain i'w gyfarfod, ac nid i ddibynnu ar gof plentyn yn unig i'w adnabod. Y funud y cyrhaeddais, roeddwn i'n gallu gweld yn syth pam bod gymaint o barch ac edmygedd iddo. A dweud y gwir, roedd yn brofiad eithaf emosiynol i gwrdd â rhywun fel fo, ond hefyd i wybod bod hynny'n golygu cymaint i Nhad.

Tynnwyd fy llun efo fo, ar gyfer cyhoeddusrwydd i'r rhaglen, ac o'r holl bobl y cefais y fraint o gael tynnu fy llun efo nhw, dyna'r un roddodd Nhad ar wal ei stydi. Oherwydd fy holl siomedigaethau yn yr ysgol a chan nad own i wedi cyflawni fawr ddim yn academaidd, roedd holi Donald Soper, tra oedd Nhad yn fyw, yn gwneud i mi deimlo fy mod wedi gwneud un peth y byddai o'n falch ohono fo.

Heblaw am y cenhadon, fodd bynnag, roedd yn gyfnod o gwestiynu a hynny ar ddwy lefel. Yn ymarferol, pam roedd yn rhaid i mi fynd i'r capel mor aml, pan nad oedd yn rhaid i fy ffrindiau? Ac ar lefel mwy diwinyddol, pam fod crefydd a'r Beibl yn dweud hyn a hyn er bod profiad yn dangos fod pethau mor wahanol? Rhyw gwestiynau digon elfennol oedden nhw, heb ddadl gyflawn i gefnogi'r amheuon. Ond roedd yn ddechrau cyfnod o holi yr hyn na chawsai ei gwestiynu neu ei amau o gwbl yn ystod fy mywyd cyn hynny.

PENNOD 6

HANK MARVIN A'R SAINT

'WAW, DYNA SŴN FFANTASTIG!'

Dyna oedd fy ymateb pan glywais y gân 'Apache' gan y Shadows am y tro cynta. O'r eiliad honno, roedd Hank Marvin fel gitarydd, a cherddoriaeth yn gyffredinol, wedi cydio ynof. Cyn pen dim o amser, trodd y *Childrens Favourites* ar fore Sadwrn yn ffefryn cyson, wedyn, ar ôl i ni gael teledu, y *6.5 Special*. Yn sydyn reit, roedd Gene Vincent, Eddie Cochran ac Elvis yn bresenoldeb cyson yn y mans yn Aberystwyth.

Doedd dim dylanwad gan fy rhieni ar hyn o gwbl, heblaw wrth gwrs am fod yn gyfrifol am ddod â'r chwaraewr recordiau *wind-up* i'r tŷ yn y lle cynta er mwyn i fi gael chwarae fy recordiau 78. Mi wnes fy ngorau i ddiweddaru'r hen beiriant yna, a'i lusgo i mewn i'r chwedegau cyfoes. Sut? Trwy geisio ei drydaneiddio! Cysylltais wifrau â'r trydan ond dim ond un canlyniad oedd yn debygol, mewn gwirionedd, a dyna ddigwyddodd – mi chwythodd y cyfan yn deilchion!

Trwy lwc, roedd y radio yn dal ar gael, a thrwy'r Gymdeithas TB, roedd Nhad wedi cael hen beiriant rîl-i-rîl Telefunken. Felly roeddwn i'n recordio rhaglenni radio ar y Telefunken er mwyn gallu eu cadw a'u clywed wedyn. Roedd cerddoriaeth roc a rôl wrth law drwy'r amser gen i.

Y cam nesa wedyn oedd mynd ati i wneud rhaglenni radio fy hun, efo Dafydd Ifans, sy'n gweithio yn y Llyfrgell Genedlaethol rŵan. Rhaglenni digon cyntefig oedden nhw, rhyw lincio i ganeuon roeddwn i wedi'u recordio oddi ar y radio. Ond roedd yn ddechrau!

Daeth y cylchgrawn *Pop Weekly* i'm bywyd wedyn, ac roedd yn cael cryn dipyn mwy o sylw na *Look and Learn* a *Finding Out*. Roedd cilio i'r stafell wely a darllen pob gair ohono'n ddifyrrwch pur oedd yn ymylu ar fod yn obsesiwn.

Roedd yna ymgais i fod yn rhan o ddigwyddiadau cymdeithasol Cymraeg, yn enwedig yr Aelwyd ar nos Wener lle roedd criw difyr, ac yn eu plith Aneurin Jenkins Jones a Peter Hughes Griffiths. Ond, ar y cyfan, y boddhad mwya oedd y gerddoriaeth newydd a sgubai trwy Brydain ac America. I ychwanegu at *Pop Weekly*, daeth Radio Luxembourg ac yna, yn lle'r chwaraewr recordio roeddwn i wedi'i ffrwydro, mi ddaeth y Dansette. Darn o gelficyn hanfodol yn y chwedegau. Roedd cyfle rŵan, a'r peiriant yn fy stafell wely, i fi gydio yn fy raced dennis, sefyll o flaen y drych a cyd-chwarae efo Hank Marvin. Fi a fy arwr yn un!

Fel efo Donald Soper, cefais gyfle i gwrdd â Hank Marvin ymhen blynyddoedd. Rhaglen *Telephonin* HTV oedd hi, ac yntau yno'n westai. Roeddwn i'n edrych ymlaen am ddyddiau at y cyfle i ddweud helô, a phan ddaeth, roedd yn stratosfferig! Wedi sgwrsio am beth amser, mi droais ato a dweud:

'Do you mind if I ask you to sign something a bit unusual that I doubt if anyone has asked you sign before? You'll probably think I'm daft and....'

Cyn i mi orffen, daeth yr ateb 'nôl yn syth:

'Oh, you want me to sign your tennis racket, do you?'

Roedd wedi cael yr un cais gannoedd o weithiau! Nid dim ond fi, felly, oedd yn sefyll mewn stafell wely yn tynnu ar dannau raced dennis wrth geisio chwarae 'Apache'!

Roedd yna reswm arall pam bod Hank Marvin yn arwr. Heblaw am yr hyn y gallai ei wneud efo gitâr, roedd hefyd yn gwisgo sbectol. I mi, wrth fentro i'r arddegau, roedd yn galondid mawr gwybod y gallai boi oedd yn gwisgo sbecs fod yn cŵl. Bu hynny'n gryn dipyn o help i mi dderbyn y ffaith bod yn rhaid i mi wisgo sbecs yn barhaol.

Roedd roc a rôl yn cynnig dihangfa i mi rhag y trenau hefyd. Chiliodd mo'r diddordeb am byth, ond roedd rhywbeth arall yn mynd â fy mryd. Ac yn gysylltiedig â hynny, byddai tripiau cyson i'r siop recordiau yn Pier Street. Gan 'mod i'n darllen y *Pop Weekly* yn fanwl, roeddwn i'n gwybod am bob record newydd a phryd y byddent yn ymddangos. Peth da, mewn gwirionedd, oherwydd gallai fod yn anodd prynu unrhyw record yn y siop recordie arbennig honno.

'Ydi hi yn y siartiau?'

'Ydi,' meddwn i.

'O, ni wedi'u gwerthu nhw i gyd 'te.'

Ond os mai 'nac ydi' oedd yr ateb i'r un cwestiwn, ei ateb yntau fyddai, 'O, dyw hi ddim wedi dod i mewn 'to!'

Felly, dechreuais archebu recordiau erbyn y dyddiad roeddwn i'n gwybod y bydden nhw'n ymddangos. Ac yn fwy na hynny, rhywbeth na faswn i byth yn ei wneud rŵan, roeddwn i'n eu harchebu cyn clywed yr un nodyn ohonyn nhw! Fel yna y prynais record gynta'r Rolling Stones, am i mi ddarllen amdanyn nhw, ond heb eu clywed o gwbl. 'Dw i ishe bod mewn band roc a rôl,' meddai Edward H ryw ddegawd a mwy'n ddiweddarach. Dyna sut roeddwn i'n teimlo ar y pryd. Roedd yn amhosib edrych ar *Ready Steady Go* a *Thank Your Lucky Stars* heb ysu am gael bod yn sefyll efo'r bandiau ar y sgrin. Dw i'n dal i ymhyfrydu'n llwyr mewn cerddoriaeth roc a rôl.

Un patrwm cyson i ni fel teulu oedd cyfnewid y mans â theuluoedd gweinidogion eraill. Roedd yn ffordd amlwg, rad, i weinidog ar gyflog isel gael gwyliau. Un haf, mi wnaethon ni gyfnewid mans efo gweinidog yn Llundain, ardal Greenford dw i'n credu. Felly ffwrdd â ni.

Roedd yn rhaid i Nhad, wrth gwrs, drefnu amserlen lawn ar gyfer ein dyddiau yn y brifddinas. Un bore, felly, i mewn â ni i'r car ac anelu am dde Llundain. Ymhen peth amser, yn agor o'n blaenau fel byd arall, roedd Stiwdio Elstree! Roedd Nhad wedi trefnu wythnosau cynt y caem grwydro o gwmpas y stiwdio a chwaraeodd ran mor bwysig i greu naws y pumdegau a'r chwedegau ar y sgrin fawr.

Doeddwn i ddim yn gwybod hynny ar y pryd, ond roedd Nhad wedi ffonio Syr David James, Pantyfedwen, a oedd ar fwrdd Elstree. Roedd o'n hynod gefnogol i waith gweinidogion ac yn barod iawn i helpu. Y sôn oedd iddo fo ystyried mynd i'r weinidogaeth pan oedd yn hogyn ifanc. Cymwynaswr mawr arall i'r Methodistiaid yn benodol oedd J Arthur Rank ei hun, ac roedd wedi ariannu cartrefi hen bobl i'r enwad. Felly roedd yna gysylltiad. Ond, doedd hynny'n cyfri dim i mi'r diwrnod hwnnw.

Roedd cwestiynau di-ri yn codi yn fy meddwl wrth gerdded o'r car i'r stiwdio. Beth oedd yno? Ble bydden ni'n cael mynd? Tybed pwy fydden ni'n eu cyfarfod? Rownd a rownd a rownd y rîl!

Chefais i mo'n siomi. Cawsom ein tywys i set ffilm a oedd yn cael ei chynhyrchu ar y pryd – dim llai na *Summer*

Holiday a Cliff Richard yn serennu ynddi! Y flwyddyn cynt roedd wedi cael ei lwyddiant ysgubol efo *The Young Ones* ac roedd yn amlwg yn un o sêr roc a rôl mwya'r cyfnod. Ond, yn fwy na hynny, roeddwn i'n gwybod bod y Shadows yn y ffilm, a Hank Marvin yn eu plith.

Ond doedd y Shadows ddim yno'r diwrnod hwnnw, fodd bynnag. Cyn i'r siom daflu cwmwl rhy ddu dros y fath ddiwrnod, cawson ni'n cyflwyno i Cliff Richard ei hun. Roedd yn paratoi ar gyfer ffilmio'r olygfa briodas yn y ffilm a daeth cyfle i ni gael sgwrs fer ag o cyn iddo ddechrau. Oni bai am natur ffilmio'r olygfa honno, mi fydden ni wedi cael aros ar y set i weld y ffilmio ei hun. Roedden nhw am ffilmio mewn cylch 360 gradd, felly doedd dim cyfle i unrhyw un wylio, a bu'n rhaid i bawb adael.

'What line are you in?' gofynnodd y tywysydd i Nhad, wrth i ni gerdded o gwmpas gweddill y stiwdio. 'Are you a director or do you own some cinemas or what?'

'No,' meddai Nhad. 'I'm a Methodist minister.'

Mae'n amlwg nad oedd dyn y stiwdio wedi cael ateb o'r fath o'r blaen, a doedd o ddim cweit yn siŵr sut roedd ymateb. Ond, wedi saib, cydiwyd yn y sgwrs eto'n ddigon hwyliog ac ymlaen â ni. Dydw i ddim yn gwybod ai oherwydd iddo ddeall bod fy nhad yn weinidog, neu oherwydd ei fod am wneud iawn am y ffaith i ni orfod gadael set *Summer Holiday*, ond dywedodd ei fod am fynd â ni i un lle ychwanegol.

Roedd cyfres deledu newydd sbon yn cael ei ffilmio ar y pryd. *The Saint*. Ac yno'n sefyll o'n blaen, roedd y sant ei hun, Roger Moore! Roedd yn cael rhywfaint o golur ac roedden nhw wrthi'n cribo'i wallt. Steil! *Smooth*! Roeddwn wedi fy syfrdanu'n llwyr ac o'r eiliad honno, roedd *The Saint* yn un o'r ffefrynnau mwya ar y teledu. Ar y ffordd allan y diwrnod hwnnw, cawson ni gyfle hefyd i gael sgwrs â Chymro a oedd yn actio yn *The Saint*, sef Clifford Williams.

Pan ddaeth y gyfres ar y teledu, byddwn i'n ei gwylio'n awchus gan geisio adnabod y mannau hynny yn y stiwdio y ces eu gweld pan own i'n bedair ar ddeg mlwydd oed. Heddiw, cerddoriaeth agoriadol *The Saint* yw'r dôn ar fy ffôn symudol! Ie, trist iawn, dw i'n gwbod, ond roedd yn anrheg Nadolig gan fy merch – wel, o leia dyna dwi'n ei ddweud wrth bawb!

Does dim amheuaeth i'r sêr enwog, y golau llachar, y camerâu a'r cyffro gydio ynof i. Gan adeiladu ar hynny, cefais gyfle ymhen rhyw ddwy flynedd wedyn i fynd efo Nhad i stiwdios y BBC a oedd ar y pryd yn Broadway, Caerdydd. Roedd Nhad yn recordio eitem ar gyfer y gyfres *Nesáu at Dduw* ac roedd gweld y broses honno'n gyfaredd ar y pryd, yn enwedig efallai am fod Nhad yn darlledu. Ond hefyd, yn y stiwdio drws nesa, roedd y BBC yn recordio drama *The House Under the Water* efo William Squire. Daeth cyfle i fynd i mewn i gael cipolwg, a chodi sgwrs efo ambell un o'r criw. Yn eu plith, roedd dyn sain o'r enw John Watcyn a aeth ymlaen i gael gyrfa lwyddiannus ym myd teledu. Dw i'n ei gofio fo'n dweud wrtha i iddo fod yn fyfyriwr yng Ngholeg y Drindod, Caerfyrddin. Byddai'r sgwrs honno'n dychwelyd i 'nghof ymhen rhai blynyddoedd.

Wedi hynny, yn ystod gwyliau'r haf, roedd Richard Lumley, y myfyriwr a fu'n lletya efo ni ac yn gwmpeini i mi ar dripiau gweld trenau, yn gweithio fel tafluniwr yn y Celtic Sinema, Aberystwyth. Stafell fechan iawn oedd yr ystafell lle'r oedd y taflunydd, ac roedd yn poethi'n go gyflym. O ganlyniad, byddai Richard yn aml yn agor y ffenest fechan yn y gornel. Ar sawl achlysur, eisteddwn ar y llawr yn erbyn wal y sinema yn gwrando ar y ffilmiau drwy'r ffenest fechan honno. Dyna brofi fy niddordeb mewn ffilmiau! Ar y pryd, roedd tri sinema yn Aberystwyth, y Pier, y Celtic a'r Colosseum, lle yn 11 mlwydd oed y gwelais y ffilm *The Inn of the Sixth Happiness*, y ffilm lle'r oedd Ingrid Bergman yn chwarae rhan y genhades Gladys Aylward.

Doedd hi o fawr syndod, felly, fy mod wrth fy modd, pan dorrodd Nhad y newyddion ein bod yn symud i Dreffynnon. Roedd yn agosach at Lerpwl. Yn agosach at bêl-droed o'r safon gorau. Yn agosach at fannau lle gallwn fynd i glywed roc a rôl yn fyw, ac at Rhyl a Chaer, lle'r oedd cyffro cerddoriaeth yn cydio go iawn yr adeg honno. Yn yr ABC yng Nghaer y gwelais y Rolling Stones a'r Kinks – y sioe gynta am 6.15 ac yna'r ail am 8.30. Mae'n flin calon gen i ddweud, ond doedd yr Aelwyd ar nos Wener yn Aber ddim yn cymharu â hynny.

Un haf pan own i adre o'r Coleg, cefais gip arall ar fyd y sêr a hynny'n gwbl ddamweiniol y tro hwn. Doedd hi byth yn opsiwn i mi fynd allan am ryw beint bach digon tawel, hyd yn oed, yng nghanol Treffynnon, rhag ofn i rywun fy nabod i ac i hynny greu trafferth i Nhad. Ac er nad own i o dan oedran, doeddwn i ddim am iddo wybod chwaith a dweud y gwir. Felly, byddwn i'n mynd allan i'r Stamford Gate, ar gyrion y dre ar y ffordd fawr ychydig cyn yr A55. Rhyw ddau neu dri ohonon ni oedd yno'r noson honno ac wrth i ni gerdded i'r maes parcio, dyna lle'r oedd Aston Martin glas tywyll. Tynnodd hwnnw'n sylw ni'n syth a bu cryn ddyfalu tybed pwy oedd piau'r fath gar.

'Mae Mick Jagger wedi galw i mewn am beint heno, bois!' meddwn i'n heriol.

Beth bynnag, i mewn â ni i'r dafarn a holi'r boi tu 'nôl

i'r bar pwy oedd berchen y car.

'Mick Jagger,' meddai o.

'Ie, ie, *right*!' medden ni.

'Na, wir, mae o'n cael bwyd yma.'

Doeddwn i ddim yn gallu coelio'r peth! Ffwrdd â ni i gerdded heibio ffenest y lle bwyta er mwyn edrych i mewn a gweld oedd o yno mewn gwirionedd. Ac mi roedd o. Roedd yn rhaid aros wedyn tan iddo orffen er mwyn cael cyfle i ddod ar ei draws yn ddamweiniol, ond yn fwriadol!

Wedi iddo orffen ei fwyd, cerddodd yn ôl at ei gar a draw â ni tuag ato. Gan ddechrau sgwrsio efo fo.

'Hiya, Mick. How's Marianne?' Fel petaen ni'n ffrindiau penna ag o!

Gofynnodd i ni wedyn oedd o ar y ffordd iawn i Fangor ac mi roeson ni'r cyfarwyddiadau angenrheidiol iddo. 'Syth ymlaen' oedd y cyfan oedd angen ei ddweud, ond byddai'r sgwrs drosodd yn rhy gyflym petaen ni wedi bod mor uniongyrchol â hynny.

Gofynnais am ei lofnod a chydiodd yn y darn o bapur roeddwn wedi mynd ag o efo fi 'rhag ofn'. Trodd at ei gar, rhoi'r papur ar y to a dechrau ysgrifennu. Ond wedi rhai eiliadau'n unig, rhoddodd y gorau iddi.

'I'm not scratching my car!'

A chyda hynny, trodd i bwyso ar do'r car nesa ato.

Efallai ei fod yn gyrru Aston Martin, ond roedd agwedd y rebel roc a rôl yn dal yn ddigon amlwg!

Wedi ychydig frawddegau o sgwrs bellach, i ffwrdd ag o tua Bangor. Dyna'r cyfnod pan wnaeth y Beatles greu cryn gyffro a thynnu sylw at Fangor wrth gyfarfod â'r Maharishi Mahesh Yogi yno. Roedd eraill o fyd pop a roc wedi eu dilyn yno wedyn i gwrdd â'r dyn anhygoel hwn.

Dyna a ddenodd Mick Jagger mae'n siŵr.

Mi es innau draw i Fangor hefyd a mynd i un o gyfarfodydd y Maharishi fy hun. Gweld a fyddwn yn digwydd taro ar ryw seren roc, mae'n siŵr, oedd y bwriad, ond eto i gyd roedd yna awydd hefyd i fod yn rhan o'r hyn a ddigwyddai yno. Draw â fi yng nghwmni ffrind i neuadd JP ym Mangor ar gyfer yr hyn a fu yn un o brynhawniau mwyaf boring fy mywyd! *Transcendental Meditation*, wir!

Felly, er nad oedd cyflog gweinidog yn caniatáu i ni allu mwynhau prynu rhai pethau roedd plant eraill yn eu cael, roedd yn fagwraeth lle'r oedd *perks* buddiol tu hwnt. Ac er y siomedigaethau yn yr ysgol, efallai mai'r dylanwadau'n ymwneud â'r diwylliant poblogaidd, oedd y rhai a gafodd yr effaith mwya arna i.

PENNOD 7

NORAH ISAAC A'R TYWYSOG CHARLES

DAETH YR ALWAD FFÔN. Desmond Healey, .prifathro Glan Clwyd oedd ar y pen arall a chanlyniadau fy arholiadau Lefel A oedd ei reswm dros ffonio.

'Rydych chi wedi cael E yn y Gymraeg, Arfon...'

'O, da iawn, dwi'n falch iawn o hynny, Syr... '

'Nage, Arfon – E am Edward!'

Roedd wedi deall yn syth i mi gredu iddo ddweud 'A' yn Saesneg a 'mod i wedi cael y marc gorau posib yn lle'r un gwaetha heb fod wedi methu'n llwyr!

Trwy lwc, roeddwn wedi cael fy nerbyn i Goleg y Drindod, Caerfyrddin, eisoes, a geiriau'r dyn sain yn BBC Broadway, John Watcyn, wedi dod yn ôl i mi pan oeddwn yn ystyried lle i fynd. Cofiais o'n dweud iddo ef ei hun fynd yno ac roedd hynny'n ysgogiad i mi. Roeddwn i'n gwybod am enw Norah Isaac hefyd.

Yr unig syniad arall ges i oedd y byddwn yn hoffi mynd i goleg y llyfrgellwyr. Roedd yr un yn Aber newydd agor, a meddwl own i y byddai'n braf mynd yno. Byddai'n braf mynd 'nôl i Aber, yn sicr, a pha mor anodd fyddai hi, mewn gwirionedd, i astudio bod yn llyfrgellydd? Doeddwn i ddim yn gallu credu y byddai'n cymryd tair blynedd i ddysgu stampio llyfrau, rhoi llyfrau yn eu trefn a dweud 'sh' wrth bawb!

Mae hynny'n amlwg yn dangos fy agwedd ddiog i ar y pryd. Er gwaetha fy niddordeb mewn trenau, fu yna erioed awydd ynof i i fod yn yrrwr trên, fel y bu mewn nifer o fechgyn â llai o ddiddordeb na fi mewn trenau. Y rheswm dros hynny oedd y byddai'n rhaid bod yn 'daniwr' gynta cyn bod yn yrrwr trên. A dyna i chi un o'r jobsys caleta dan haul, yn y gwres a'r llwch glo a'r rhofio caled, di-baid. Dim diolch.

Rŵan, ar y llaw arall, byddwn wedi bod wrth fy modd yn orsaf feistr ar ryw orsaf fechan yng nghefn gwlad. Yn brysur o fore gwyn tan nos yn cadw'r orsaf yn daclus ac yn siarad â phawb a fyddai'n esgyn ac yn disgyn oddi ar y trenau. Ac, o bryd i'w gilydd, cael reid ar un o'r trenau fy hun.

Ond Drama (Prif Gwrs Uchaf) a'r Gymraeg yng Ngholeg y Drindod oedd y penderfyniad yn y diwedd. Ac i lawr â fi i Gaerfyrddin, gan adael cartre a symud i fod yn fyfyriwr. Roeddwn i'n gyfarwydd â symud i ardal newydd, wrth gwrs – doedd hynny'n fawr o sioc i'r system. Ond roedd bod yn fyfyriwr yn rhywbeth newydd sbon. Tybed sut âi'r tair blynedd nesa?

Roedd fy mam, fel y dywedodd wrtha i ychydig flynyddoedd yn ôl, yn eitha digalon pan adewais am Gaerfyrddin, ac yn teimlo ei bod wedi 'ngholli o'r cartref am byth. Ond wnaeth Nhad ddim pryderu o gwbl! Roedd hynny i ddod iddo fo nes ymlaen.

Dyna i chi oriel yr anfarwolion a oedd yn fy aros ar y cwrs! Islwyn Ffowc Elis, John Rowlands, Ifan Wyn Williams, Carwyn James a Norah Isaac! Sut bydden nhw'n gallu cael dylanwad arna i ac athrawon ysgolion Ardwyn a Glan Clwyd wedi methu? Cofiaf am Carwyn James fel dyn bonheddig, tawel, cwrtais bob amser ac am un sgwrs arbennig. Doedd fawr o obaith mentro sgwrs ynglŷn ag unrhyw beth yn ymwneud â'r cwrs efo fo, a fawr o bwynt trafod rygbi chwaith. Felly, pêl-droed amdani, a finnau'n dechre sôn am dimau Lerpwl a Everton y cyfnod. Ond, er mawr syndod i mi, gwyddai fwy na fi am bêl-droed, hyd yn oed, gan drafod y ddau dîm yn wybodus a deallus.

Cefais waith gan John Rowlands un flwyddyn, dw i ddim yn cofio pryd, sef ysgrifennu traethawd ar fy arwr llenyddol. Fy newis i oedd Bob Dylan! Er ei bod yn amlwg nad dyna oedd John Rowlands yn ei ddisgwyl wrth osod y gwaith, chefais i ddim stŵr ganddo am ddewis Bob Dylan, ond dw i'n cofio cael sgwrs ddifyr efo fo ynglŷn â pham y gwnes i ei ddewis yn hytrach na Waldo neu pwy bynnag roedd o'n disgwyl i mi ei ddewis. Wrth gwrs, erbyn hyn, mae Bob Dylan yn destun cyrsiau llenyddol mewn prifysgolion. Roeddwn i o flaen fy amser, mae'n amlwg!

Fy nghartre, tra own i yn y coleg, oedd tŷ o'r enw Ystrad yn Nhre Ioan ar gyrion Caerfyrddin. Roedd yn lle delfrydol, yn dŷ o safon a digon o le ynddo. Rhannwn ystafell efo myfyriwr o'r enw John Taylor ac roedd Riley Elf ganddo. Dim problem cyrraedd y Coleg mewn pryd, felly. Y trawstoriad o fyfyrwyr oedd un o'r pethau gorau am y coleg – doedd pawb ddim ar yr un cwrs nac felly â'r un diddordebau. Hefyd, roedd cyrtiau tennis gerllaw, yn rhan o feysydd chwarae cyffredinol y coleg.

Trwy lwc, roedd myfyrwraig o Gilcain yno hefyd. Roedd ganddi gar ac âi 'nôl adre bob yn ail benwythnos. Felly dyna wnawn innau hefyd, a chael lifft yno a 'nôl. Pan na fyddai lifft ambell benwythnos, am ba reswm bynnag, mi fyddwn i'n ei bodio hi 'nôl i'r gogledd. Gadael tua chanol pnawn Gwener, gan wisgo fy sgarff coleg, a chael lifft gan bob math o yrwyr ceir a lori. Ambell dro, byddai ffôn cartre fy rhieni'n canu tua deg o'r gloch y nos, a Nhad yn gofyn, 'Ie, lle rwyt ti rŵan? I ble ma angen dod i dy 'nôl di?'

Ble bynnag byddwn i, doedd hi byth yn rhy bell.

Roeddwn i'n teimlo nad own i wedi bod yno fawr ddim pan gawson ni fynd ar brofiad dysgu. I Abercych y ces i fy anfon a finnau heb glywed erioed am y fath le. Roeddwn i fod yno am bum wythnos ac mi wnes fwynhau cymaint nad es i ddim 'nôl i Gaerfyrddin na'r gogledd am y pum wythnos hynny. Ddaeth fawr neb o'r darlithwyr i'm gweld i chwaith yn y fan honno, am ddau reswm am wn i. Un, am fod y lle'n weddol bell o'r Drindod, a'r llall, am i'r ardal ddioddef llifogydd trwm yn ystod gaeaf 1966 ac roedd cyrraedd y pentre'n gallu bod yn drafferthus. Doeddwn i ddim yn meindio llawer am hynny!

Roedd yn lle hyfryd, yn debyg iawn i'r orsaf drenau fechan honno a fu'n ddelfryd i mi gyhyd. A dw i'n siŵr i ferch y Swyddfa Bost fod yn rhan o atyniad y lle hefyd!

Mi es wedyn i ysgol Llechyfedach yn y Tymbl, Llanelli, ac yna i Peniel ar gyrion Caerfyrddin. Gwelais fwy o'r darlithwyr yn y mannau hynny, yn enwedig Peniel, a oedd yn agos i Gaerfyrddin. Roedd y tri lle'n hyfryd ac mewn gwirionedd yn agosach at yr hyn roeddwn am ei wneud na'r cyrsiau yn y coleg.

Wedi'r cyfnod ymarfer dysgu cyntaf yn Abercych, daeth Nhad i fy 'nôl i fynd â fi adre i Dreffynnon. Roedd angen stopio yn Aberystwyth ar y ffordd am fod ffrind i mi wedi cael damwain ac yn yr ysbyty. Roedd yr holl brofiad o ddychwelyd i Aber yn drist iawn. Ychydig dros flwyddyn oedd yna ers i ni adael y dref, ond roedd teimlad cryf o 'dydi hi ddim 'run fath'.

Galwodd Nhad a minnau yn nhe parti Nadolig hen gapel fy nhad, a'r un teimlad oedd yn y fan honno hefyd, i'r ddau ohonon ni. Teimlad nad oedden ni'n perthyn bellach. Aeth y ddau ohonon ni ar ein taith i fyny i'r gogledd â theimladau od iawn, yn gofyn i ni'n hunain, 'Sut gall pethau newid mor gyflym?'

Fy agwedd at waith y coleg oedd, 'Pam 'mod i eisiau astudio Beirdd yr Uchelwyr a finna am fod yn athro ysgol gynradd?' 'Mi welais Jac y Do' fyddai hi yno! Beth oedd y pwynt, felly? Byddai'n well gen i ddysgu sut oedd marcio gwaith a pharatoi adroddiadau. Dros y blynyddoedd diwetha, dw i wedi mynd dros waith nifer o'n beirdd ni fel Cymry efo Catrin, y ferch, ac wedi rhyfeddu a mwynhau eu gwaith nhw mewn modd na wnes yng Nghaerfyrddin. Doedd gen i ddim diddordeb bryd hynny. Ond hefyd, dw i'n rhyfeddu bod Catrin, yn ei hoedran hi, yn gallu ymhyfrydu yn 'Coed', Gwenallt, er enghraifft, a'i mwynhau lawn cymaint efallai â *Scrubs* ac *America's Next Top Model*.

New Musical Express ar bnawn Gwener oedd y prif atyniad llenyddol i fi bryd hynny. Petawn wedi gorfod sefyll arholiad ar hwnnw, fyddai na'r un broblem!

Daeth diwedd fy mlwyddyn gyntaf a bu'n rhaid trefnu cyfarfod â Norah Isaac. Roeddwn i wedi crafu pasio rhai pynciau ac wedi methu eraill. Doeddwn i ddim yn edrych ymlaen at y cyfarfod o gwbl. Roeddwn i'n gyfarwydd â'i chael hi'n pigo arna i gan gredu y byddai hynny'n fy annog. Dyna pam ei bod hi'n defnyddio'r ymadrodd 'A chithau'n fab i weinidog' drwy'r amser, er anogaeth ac i fynegi siom am yn ail, a'r cyfan i geisio corddi rhyw ddiddordeb tuag at y pwnc ynof i.

Mae un o'm cyd-fyfyrwyr, Eirian Evans, cyn-brifathro Ysgol Gymraeg Aberystwyth, wastad yn fy atgoffa am un stori amdana i yn un o ddarlithoedd Norah – dydw i ddim wir yn ei chofio. Roeddwn i'n eistedd yn fy lle arferol, ac, o bryd i'w gilydd, yn edrych ar fy wats – ychydig yn fwy nag arfer efallai, a dyna Norah yn fy nal yn gwneud.

'Mae'n amlwg nad ydych chi â rhyw ddiddordeb mawr yn y ddarlith, Arfon. Rydych chi wedi edrych ar yr amser ddwywaith yn y pum munud ddiwetha!'

'Naddo, Miss Isaac. Yr ail dro, edrych ar y dyddiad own i!'

Doeddwn i ddim yn ceisio bod yn haerllug yn fwriadol, ond roedd yn amlwg bod yna ryw ddireidi cynhenid ynof i a greai ymatebion fel hynny o bryd i'w gilydd.

Roedd yn anodd iawn cymryd yn ei herbyn, a pharch oedd gen i tuag ati yn hytrach na'r ofn a brofais yn Ardwyn. Yr unig bryd roedd arna i ofn Norah Isaac fyddai pan gawn lifft ganddi hi i rywle yn ei char!

'Mae'n amlwg, Arfon, nad yw eich calon chi yn eich gwaith,' meddai yn y sgwrs ddiwedd y flwyddyn. Dechrau da. Ac ymlaen â hi.

'Rydyn ni wedi ystyried a ddylech chi barhau â'r cwrs o gwbl, ac yn meddwl efallai y dylech chi adael.'

Er nad oedd clywed y fath beth yn bleser i gyd, wnaeth o mo fy ysgwyd yn syfrdanol. Rhyw 'Ocê, os mai fel 'na mae hi i fod... ' oedd fy agwedd. Aeth Norah yn ei blaen, a defnyddiodd y blacmel emosiynol arferol:

'Dw i'n credu y byddai'ch tad yn cael ei siomi'n fawr petaech chi'n gorfod gadael nawr.'

'O, dyma ni eto! *Here we go*!' oedd yr ymadroddion aeth trwy fy meddwl. Ond, wedyn, erbyn ystyried, mi wnes addo gwneud mwy o ymdrech petawn yn cael aros ar gyfer yr ail flwyddyn.

Er hyn oll, roeddwn i'n hoff iawn o Norah Isaac ac yn tynnu ymlaen yn hwylus efo hi, ar y cyfan. Dw i'n gwybod yn iawn iddi gael dylanwad pendant arna i, er 'mod i wastad wedi cael trafferth mynegi beth oedd y dylanwad hwnnw. Roeddwn i'n hoffi'r ffaith ei bod yn dweud ei barn yn blwmp ac yn blaen. Cefais ddigon o enghreifftiau o hynny yn y coleg, a hefyd yn ystod fy nyddiau ar y teledu.

Pan gafodd ei gwneud yn Gymrawd yr Eisteddfod, yr unig ddynes i dderbyn y fath anrhydedd, bu'n rhaid i mi ei holi ar gyfer y rhaglen *A Visit to the Eisteddfod* roeddwn i'n ei chyd-gyflwyno efo Nerys Hughes, o'r *Liver Birds* gynt. Mi es ati a'i llongyfarch ac wedyn gofyn am gyfweliad ar gyfer y rhaglen gan esbonio y byddai'r sgwrs yn Saesneg a gofyn a fyddai hynny'n gwneud unrhyw wahaniaeth.

'Dw i yn gallu siarad Saesneg, Arfon!' oedd yr ateb cwta ges i.

Ymlaen â fi â'r sgwrs felly, wedi fy rhoi yn fy lle eisoes, a gofyn y cwestiwn cynta.

'Norah Isaac, you've just been made a Fellow of the National Eisteddfod, the first woman to receive such an honour. How does it feel?'

'Well, that's a stupid question, isn't it?!'

A dyna'r sgwrs yn dod i ben wrth i mi gael fy llorio mewn embaras llwyr a'r criw ffilmio yn eu dyblau'n chwerthin am fy mhen! Roeddwn i mor falch nad oedd hwnnw'n ddarllediad byw.

Mae'n amlwg fod actio mewn dramâu o dan gyfarwyddid Norah Isaac yn un peth dw i'n ei gofio. Ond, unwaith eto, ches i erioed unrhyw brif ran. Roedd wrth ei bodd efo Saunders Lewis, wrth gwrs, ac mae'n siŵr i ni wneud pob un o'i ddramâu. Os cofia i'n iawn, yn *Buchedd Garmon*, Wynne Melville Jones a chwaraeai'r brif ran, a fi oedd Cariwr Gwaywffon rhif 3!

Ond, mae'n rhaid dweud i mi deimlo i mi gael anogaeth ganddi, er mor fychan oedd fy nghyfraniad i'r cynyrchiadau. Roedd yn siom methu cael ambell ran go dda mewn drama, ond roedd fy magwraeth wedi 'nysgu i dderbyn yr hyn a ddaw – fel 'na mae pethau i fod. Dw i wedi ceisio trosglwyddo hynny i Catrin. Daeth ata i un tro pan oedd hi'n rhyw wyth oed, a dweud bod yr ysgol yn perfformio *Oliver* gan Lionel Bart, ond nad oedd hi wedi cael ei dewis i actio un o'r rhannau, yn hytrach iddi gael ei dewis i fod yn y corws. Wrth sgwrsio â hi, ac mewn ymgais i fod yn dad da, dywedais wrthi bod cael ei dewis i'r corws yn beth derbyniol a bod angen iddi wneud ei gorau fan yna hefyd. Ceisiais ysgafnhau'r sgwrs rywfaint gan ddweud i mi gyfarfod un tro â'r dyn sgrifennodd *Oliver*.

'Ti wedi cwrdd â Charles Dickens?!' oedd yr ebychiad yn ôl, a finnau'n gorfod ei chywiro'n ddigon handi, mai Lionel Bart roeddwn i wedi ei gyfarfod!

Ond 'nôl yn y Drindod, y sôn oedd mai'r gwir arwydd o fod yn dderbyniol i Norah oedd cael caniatâd i yrru ei char. Ac yn hynny o beth, cefais fy nerbyn. Mi es â hi fan hyn a fan draw droeon. Diolch byth 'mod i'n cael bod wrth y llyw, o ystyried y profiad o eistedd yn ei char a hithau'n gyrru!

Rai blynyddoedd wedi hynny eto, cefais gyfle i wneud rhaglen *Penblwydd Hapus* ar Norah. Roeddwn i mor falch o allu gwneud hynny, fel rhyw fath o deyrnged bersonol iddi hi. Cefais ambell lythyr o gefnogaeth ac anogaeth ganddi yn ystod fy ngyrfa, ac roedd *Penblwydd Hapus* yn ffordd arbennig o berthnasol i mi allu dweud diolch wrthi.

A bod yn onest, dydw i ddim yn siŵr lle byddwn i heb Norah Isaac. A fyddwn i wedi cael aros ar gyfer yr ail flwyddyn oni bai amdani hi? Os felly, beth fydde wedi digwydd i mi wedyn? Doeddwn i ddim yn actor digon da, a ddim yn ddigon cymwys yn academaidd. Felly, diolch byth i mi gael ail gyfle i barhau yn y Drindod.

Ac wedi tair blynedd, daeth dyddiau'r Drindod i ben. Un peth ddaeth yn amlwg yn y blynyddoedd wedi i mi adael oedd yr arfer o gofnodi ym mha gyfnod roeddech yno o'i gymharu â Barry John. Yno cyn Barry John neu yno ar ôl Barry John oedd y ffordd o ddweud pryd y buoch chi'n fyfyriwr yn y Drindod. Wel! Roeddwn i yno yr un adeg ag o. Wedi dychwelyd adre i Dreffynnon, dw i'n cofio pobl yn fan honno, a hithau'n dre bêl-droed go iawn heb unrhyw draddodiad rygbi, yn ymateb i'r ffaith 'mod i yn y Drindod drwy ddweud 'mod i yng Ngholeg Barry John! Roedden nhw wedi clywed amdano, ac roedd hynny cyn taith y Llewod, 1971.

Wrth i mi edrych 'nôl dros ddyddiau'r Drindod, alla i ddim dweud yn onest y bu yno unrhyw uchafbwyntiau i mi'n bersonol, nac isafbwyntiau o ran hynny. Mi ddaeth, mi ddigwyddodd ac mi aeth. Dydw i ddim yn dweud hynny mewn ffordd gas o gwbl, ond fel 'na oedd hi.

Roeddwn i yno mewn cyfnod digon difyr, a dweud y gwir, rhwng Gwynfor a'r Tywysog Charles, o 1966 tan 1969. Ar y cyfan, fûm i erioed yn wleidyddol. Er gwaetha bod yn rhan o gyfnod cynnar protestiadau Cymdeithas yr Iaith ac ati, doeddwn i ddim yn un a fyddai'n ymaelodi na chymryd rhan. Heddiw, mae fy agwedd yn wahanol a dw i'n difaru yn sicr, na wnes i fwy mewn cyfnod a oedd mor gyffrous o ran datblygu statws yr iaith.

Heb yn wybod i mi, roedd Nhad yn cefnogi'r protestwyr yn ei ffordd ei hun. Yn ddiweddar iawn, daeth dyn ataf a dweud ei fod yn cofio Nhad. Doedd gen i ddim syniad pwy oedd o tan iddo esbonio. 'Roedd fy nhad,' meddai, 'yn un o'r rhai a gafodd ei garcharu yn Lerpwl am un o'r digwyddiadau yn ymwneud â'r bomio yn ystod cyfnod yr Arwisgo a byddai dy dad yn ysgrifennu ato'n gyson yn y carchar. Roedd o, ac rydw innau hefyd, yn gwerthfawrogi hynny o waelod calon.'

Roedd hynny'n sioc i mi. Roeddwn i'n gwybod ei fod yn llythyrwr brwd, ond cadwai'r fath lythyrau'n dawel, heb dynnu sylw ato'i hun. Roedd yn edmygu arweinwyr cenedlaetholgar y cyfnod yn sicr, Gwenallt yn Aberystwyth ac, yn ddiweddarach, Lewis Valentine, a oedd yn byw yn ein hymyl ni yn Hen Golwyn. Rydw i'n difaru na wnes innau ddangos cefnogaeth yn yr un ysbryd, os nad yn yr un dull.

Er i mi sefyll fel ymgeisydd yn ffug etholiad Ysgol Glan Clwyd, doedd hynny ddim mewn gwirionedd ar sail unrhyw ddaliadau cryfion. Ond mi ddaeth dylanwadau gwleidyddol cryf arna i yn y cyfnod ymfflamychol rhwng 1966 a 1969. Roeddwn i eisoes wedi dechrau gweld sut roedd tre Caernarfon yn newid, fel y soniais eisoes. Ond wrth fynd drwy'r coleg, deallais fwy am yr hyn oedd yn digwydd yno. Cododd teimladau cryfion yn erbyn yr Arwisgo. Doeddwn i ddim yn gallu derbyn bod cymaint o arian yn cael ei wastraffu ar y fath achlysur a doeddwn i ddim yn fodlon efo'r syniad o Dywysog Cymru beth bynnag – nid oedd yn golygu dim i ni.

Ar ddiwrnod fy mhen-blwydd yn un ar hugain yn 1969, a finnau wedi gadael y Coleg, mi es am y dydd i Gilmeri i ddangos y gwrthwynebiad hwnnw. Yno, roedd protest yn erbyn yr Arwisgo, ac areithwyr mawr fel Emyr Llew a Waldo yn annerch y cannoedd ar gannoedd oedd yno. Rhaid bod yr achos wedi gwneud argraff arna i, i mi ddewis treulio diwrnod cyfan fy mhen-blwydd yn un ar hugain yng Nghilmeri.

PENNOD 8

BYSUS A FFESANTOD

DW I DDIM YN gwybod ai anturiaethau Cliff Richard a'i dri ffrind yn *Summer Holiday* gafodd y dylanwad, neu'r ffaith bod tad ffrind i mi yng Nglan Clwyd yn un o reolwyr cwmni bysus Crossville, ond mi gefais gyfnod wrth fy modd ar y bysus yn ystod yr haf ar ôl gadael Glan Clwyd.

Cyn dechrau yn y Drindod, daeth cyfle i ennill arian – mwy, a dweud y gwir, nag y byddwn yn ei ennill fel athro ysgol gynradd, dair blynedd yn ddiweddarach. Cefais flas ar fod yn *conductor* ar nifer fawr o deithiau gwahanol fysus yn yr ardal, a dim ond un byddwn i'n ei chasáu, sef y daith o Brestatyn 'nôl i Ryl ar nos Sadwrn. Roeddwn i naill ai ar daith am un ar ddeg, hanner awr wedi un ar ddeg, neu hanner nos. Dim ond pan fyddai un dyn arbennig y tu ôl i'r olwyn fyddai dim trafferth o gwbl. Mr Gizzi. Cymeriad lliwgar o deulu lliwgar, a fyddai'n fwy cartrefol, mae'n siŵr, mewn sgwâr bocsio na thu ôl i olwyn bws. Ei neges i ni'r hogia ifanc oedd:

'Unrhyw drafferth, bois, canwch y gloch dair gwaith ac mi ddo' i i sortio petha allan!'

'Three Bell Gizzi' roedd pawb yn ei alw ac roedd ei deithiau o'n rhai digon tawel a hyd yn oed yr ymwelwyr o Lerpwl yn gwybod pwy oedd o. Ond, am y lleill, wel, digon o gur pen a thrafferth. Un arall a rannodd yr un profiadau â fi ar y bws 'nôl o Brestatyn oedd Wynford Ellis Owen.

Ond fy hoff daith, heb os, oedd yr un ar y bws to agored 'nôl a blaen o wersyll gwyliau Robin Hood ar gyrion Prestatyn i wersyll Winkups yn ymyl Tywyn, Pensarn. Roedd y rheina'n deithiau hyfryd. Roeddwn i'n gwisgo iwnifform, y peiriant tocynnau yn crogi dros fy ysgwydd a merched digon dymunol yn dod i mewn ac allan o'r bws yn rheolaidd. Roedd yn gyfle hefyd i ddod i nabod nifer o hogiau'r ffair – handi! Scowsars roc a rôl go iawn oedden nhw, a finnau'n fab y mans yn teimlo'n eitha cyfforddus yn eu cwmni.

Pan fyddai awr yn rhydd o'r gwaith, draw â fi i'r ffair yn Marine Lake – y cyfan oll yn debyg, nid yn gymaint i *Summer Holiday* efallai, ond i *That'll Be the Day*, David Essex. Dw i'n dal i allu clywed 'Out of Time', Chris Farlowe, yn drac sain i'r cyfan hefyd. Fo oedd rhif un am gyfnod dros yr haf hwnnw.

Un pnawn gwlypach nag arfer, pan oedd ymhell o fod yn Sunny Rhyl, roeddwn i ar y daith hon ac ar y bws to agored. Welais i erioed law mor drwm yn cael ei daflu i lawr o'r nefoedd gan socian pawb at eu crwyn. Er gwaetha hyn, penderfynodd un teulu cyfan, yn fam, tad a phlant, fentro trwy'r dŵr a hwnnw'n tywallt i lawr y grisiau fel rhaeadr, er mwyn eistedd ar y llawr uchaf yn yr awyr agored. Pam? Wn i ddim. Er, roeddwn i'n edmygu eu dewrder a'u hysbryd anturus. Ond roedd un peth yn sicr, doeddwn i ddim yn mynd i fyny i 'nôl eu tâl am docynnau! Callach oedd aros iddyn nhw ddod 'nôl lawr. A dyna wnes i.

Wedi i ni gyrraedd Gwersyll Winkups, i lawr â nhw a dod ata i er mwyn talu.

'Na, popeth yn iawn. Chwarae teg i chi am fynd i fyny a mynd i ysbryd y peth. Anghofiwch am dalu!'

Wrth iddynt ddangos eu diolch amlwg, daeth dyn mewn côt law heibio i fi, a thynnu bathodyn a oedd yn dangos ei fod yn un o arolygwyr Crossville. Mynnodd arian gan y teulu a rhoddodd y sac i mi yn y fan a'r lle. Roeddwn wedi colli tri swllt a chwech i'r cwmni trwy geisio bod yn neis efo teulu ar eu gwyliau yn y glaw.

Y broblem ymarferol gyntaf oedd sut awn i 'nôl adre? Roedd gan yr arolygwr ateb parod:

'Dal y bws a thala am docyn fel pawb arall! Gobeithio y bydd y *conductor* ar y bws yn ddigon proffesiynol i ofyn am dy arian!'

A dyna y bu'n rhaid i mi ei wneud.

Wrth gwrs, roedd angen post mortem wedyn, a hynny'n golygu wynebu tad fy ffrind ysgol, Mr Humphreys.

'Dw i wedi fy siomi ynoch chi, Arfon, a chithau'n fab i weinidog. Beth mae eich tad yn mynd i'w ddweud?'

Ie, yr un hen gwestiwn eto.

Canlyniad hyn oll oedd nad oedd gen i sicrwydd gwaith dros wyliau'r haf felly – yr haf hwnnw na'r hafau canlynol. Petawn i heb gael y sac, byddai gwaith gen i ar y bysus trwy gydol fy nghyfnod yn y Drindod. Ond dim mwy! Rhaid oedd chwilio am rywle arall.

Ers i mi fod tua phedair ar ddeg mlwydd oed, roeddwn i wedi mwynhau gwaith penwythnos neu wyliau haf. Dosbarthu nwyddau i siop groser Mrs Davies yn Aber oedd y gwaith cynta ac wedi hynny roedd chwilio am waith tebyg yn bwysig iawn i mi.

Yn y Fridfa Blanhigion y ces i'r cyfle nesa ac, ie, enghraifft arall o dad i ffrind yn un o'r penaethiaid. Mi weithiais i yno am bum wythnos, ddwy flynedd yn olynol, a chael £5 yr wythnos. Roedd hanner yr arian yn mynd i Mam, a'r hanner arall i mi. O leia roedd hynny'n golygu 'mod i'n gallu fforddio mynd i ambell ddawns yn y Parish Hall neu dalu am ambell noson yn y Liberal Club.

Dw i'n dal hyd y dydd heddiw, yn tynnu sylw pwy bynnag fydd yn y car efo fi – neu unrhyw un fydd yn crybwyll y Fridfa mewn sgwrs a dweud y gwir – at y ffaith nad oes yr un garreg i'w gweld bellach yn y cae ar y dde wrth fynd o dan y bont rheilffordd o gyfeiriad Aber, am i mi gasglu, ar fy mhengliniau, bob un ohonyn nhw!

Erbyn cyrraedd y Drindod wedyn, a dod dros y siom o gael y sac gan Crossville, gwaith gwahanol iawn ddaeth yn ei le. Labro! Ie, fi! Ond roedd yn labro diddorol iawn, yn hen siediau yr RAF y tu allan i Benarlâg. Roedd gofyn tynnu'r siediau i lawr er mwyn gwneud lle i adeiladu ffatri newydd, ffatri ieir os dw i'n cofio'n iawn. Nid yn unig roedd o'n waith diddorol ond yn waith trist hefyd mewn ffordd. Roeddwn i wrth fy modd efo ffilmiau fel y *Dambusters* ac unrhyw beth gan actorion fel Michael Redgrave a Richard Todd, ac roedd cael bod yn y siediau hyn fel cerdded 'nôl i fyd y ffilmiau anhygoel hynny.

Roedden nhw wedi cael eu gadael yn union fel yr oedden nhw, a'r *officers' mess* yn enwedig yn adeilad mor foethus. Roedd bron fel petai carped wedi ei osod ar y waliau hyd yn oed. Bryd hynny, er bod dros ugain mlynedd ers diwedd yr Ail Ryfel Byd, roedd y blychau llwch yn dal yno, ac arogl y mwg yn llenwi'r lle. Roedd y dodrefn hyd yn oed yn dal yno, a llyfrau cyfrifon yr Awyrlu ynghyd â llwyth o greiriau amrywiol. Hawdd oedd dychmygu'r dynion yn aros yno'n disgwyl am y gorchymyn nesa ac yna'n sgramblo i'w Spitfires a'u Hurricanes a'u Mosquitoes. Wrth gerdded drwy'r siediau hyn, dw i'n cofio meddwl ar y pryd, petai'r waliau yma ond yn gallu siarad, y fath straeon y byddwn wedi'u clywed!

Tra gwahanol eto oedd y gwaith yn ystod yr haf wedi i mi orffen y drydedd flwyddyn yn y Coleg. Draw â fi i waith dur John Summers yn Shotton. Tref o le! Roedd dros 14,000 yn gweithio yno ac roeddwn wedi cael gwaith yn yr *hot strip mill*. Does dim amheuaeth mai dyna'r gwaith caleta i mi ei wneud yn fy mywyd. Byddai rhai am awgrymu mai dyna'r unig waith i mi ei wneud erioed! Bob dydd, byddwn i'n gorfod dal y *sheets* crasboeth o ddur wrth iddyn nhw ddod oddi ar y felin, ac yna eu stacio. Mae'n swnio'n hawdd, ond roedd yn waith peryglus a byddai'n rhaid bod yn ofalus iawn. Pe bawn yn methu un, neu'n plygu un, byddai'n rhaid dod â'r holl broses i ben am ychydig. Felly, heblaw am y perygl amlwg o ddal dur poeth, roedd gwybod y byddai camgymeriad yn dod â gwaith degau o ddynion eraill i ben a phawb yn gwybod mai fi oedd yn gyfrifol, yn bwysau ychwanegol nid ansylweddol.

Yr haf wedyn roeddwn i i ddechrau fel athro ysgol gynradd, ac unwaith eto roedd cymhariaeth ddadlennol rhwng yr hyn roeddwn i'n ei ennill yn Shotton a'r hyn roeddwn i'n ei ennill mewn ysgol. A chynnwys y tâl am amser ychwanegol ac ati, roeddwn i'n gallu ennill mwy mewn wythnos dda yn Shotton na'r hyn y byddwn yn ei ennill mewn mis yn yr ysgol, a hynny wedi i mi fod mewn coleg am dair blynedd.

Tua'r un cyfnod, roedd ffrind i mi, John Phillip Williams, wedi crybwyll bod ganddo job dydd Sadwrn. Roedd ei dad yn organydd yng nghapel fy nhad.

'Dw i'n cael pum swllt ar hugain am waith diwrnod,' meddai wrtha i'n eitha cyffrous.

Wel, ces innau fy nghyffroi gan hynny hefyd a gofynnais iddo beth roedd o'n gorfod ei wneud.

'Beating,' oedd ei ateb ac yn naturiol ddigon, doedd gen i'r un syniad beth oedd hynny'n ei olygu.

'Ma pawb yn cario ffon ac yn cerdded mewn llinell gan guro'r llwyni wrth fynd. Mae'r ffesantod wedyn yn dianc ac yn hedfan i fyny i'r awyr ac mae'r dynion yn eu saethu nhw.'

Roedd yn swnio'n waith rhwydd iawn am bum swllt ar hugain, felly, ffwrdd â fi i ymuno ag o. Yn enwedig ar ôl deall bod panad a phei boeth yn rhan o'r fargen hefyd – un o'r peis gorau i mi ei blasu erioed. Yr unig bei a ddaeth yn agos ati oedd yr un y byddwn i'n ei bwyta efo fy niod Bovril ar y fferi ar draws y Merswy, pan fyddwn i'n teithio i weld Everton neu Lerpwl gan fyw mewn gobaith y byddai Gerry Marsden yn dod o amgylch i'w gwerthu i ni!

Yn briodol ddigon, Jasper oedd enw'r cipar ar y *beatings* yma ar gyrion Halcyn, ac roedd ganddo iaith liwgar iawn. Cyrhaeddais yno ar gyfer fy mhrofiad cynta yn gwisgo côt mac wen a Hush Puppies. Do, wir, mi wnes! Ces awgrym fod rhywbeth o'i le wrth weld pawb arall yn eu welis, Burberry's a'u *camouflage*, ac roedd John hyd yn oed wedi edrych arna i efo edrychiad a oedd yn awgrymu'n glir iawn, 'Be ddiawl wyt ti'n 'i wisgo, dwed?'

Alla i ddim ailadrodd beth ddwedodd Jasper i gyd. Rhwng pob math o regfeydd amrywiol, daeth y geiriau allan:

'Where do you think you're going?!'

'I've come for the beating, Sir!'

'I'll give you a bloody beating! Now, take that coat off to start with!'

Doeddwn i ddim yn cael gwisgo'r gôt gan y byddai gwyn wedi codi braw ar unrhyw ffesant a gwneud iddo ddianc ymhell cyn pryd, heb sôn am wneud llanast o'r gôt ei hun! Ta waeth, mi wnes hynny am rai wythnosau, ac ennill arian digon derbyniol.

Lawr ar lan y môr roedd y gwaith nesaf, yn Llandrillo yn Rhos, mewn siop gwerthu creiriau a hufen iâ. Byddai Nhad yn rhoi lifft i mi yn y bore a finnau'n cerdded adre bob nos. Un cwestiwn cyson gan ymwelwyr oedd 'Pryd mae'r dolffins yn dod allan?' Dyna'r disgwyliadau a grewyd gan rai o atyniadau newydd y cyfnod pan oedd dolffins yn ymddangos yn rheolaidd am un ar ddeg y bore ac am hanner awr wedi dau y pnawn! Doedd dim diben ceisio esbonio nad fel yna roedd pethau'n gweithio ym myd natur go iawn.

Rai blynyddoedd wedyn, a finnau yn HTV, daeth yn amlwg nad oedd yr agwedd wedi newid fawr ddim. Roeddwn i'n ffilmio yng Nghei Newydd gyda'r dyn a oedd yn rhedeg y siop ffish a chips yno, a hwnnw'n dipyn o gymeriad. Dechreuodd sôn am y bobl a oedd yn galw yn ei siop er mwyn holi, 'What time are the dolphins?' Ei ateb o iddyn nhw oedd dweud:

'Prynwch fwced, llenwch hi â chregyn a cherrig, ewch lawr at waelod y jeti a siglwch y bwced mor galed ag y gallwch chi. Bydd y dolffins yn siŵr o'ch clywed chi ac mi ddôn nhw atoch chi.'

Golygfa fythgofiadwy oedd gweld y twristiaid hyn yn siglo'u pwcedi ar ben y cei gan ddisgwyl am y dolffins!

Wedi stopio yng nghaffi Nino's am baned gynta, un o bleserau gorau'r cyfnod oedd cerdded adre o Landrillo yn Rhos. Mae'n daith hyfryd ar hyd y prom.

Yr unig waith tymhorol i mi ei gael nad oedd yn ystod yr haf neu ar benwythnos oedd efo'r Post Brenhinol adeg Dolig. Dosbarthu'r post o gwmpas y strydoedd oedd fy ngwaith a dangosodd y profiad yna un peth syml iawn. Ar yr ystadau tai cyngor byddai pawb yn hael iawn efo'u 'tips' Nadolig ond yn yr ardaloedd mwya cefnog, chawn i 'run ddimai! Dw i wedi gweld droeon ers hynny mai'r rhai sydd â chanddynt leia sy'n rhoi fwya.

Byddai'n hawdd meddwl, wedi i mi gael swydd fel athro, y byddwn i'n gorffen efo'r gwaith haf a'r jobsys dydd Sadwrn. Ond na, nid felly y bu. Wedi dechrau fel athro, roeddwn i'n dal i chwilio am waith ychwanegol. Pam? Wel, credwch neu beidio, nid er mwyn yr arian ond am 'y mod i wrth fy modd yn cymdeithasu ac yn gwneud rhyw weithgarwch. Roedd bod o flaen dosbarth o blant yn hyfrydwch, ond roeddwn i hefyd wrth fy modd yn cyfarfod â phobl, yn sgwrsio, a chael cyfle i wneud pethau newydd.

Felly, yn athro ifanc, cefais waith yn Sŵ Caer! Wrth i mi fynd i'r cyfweliad, roedd pawb yn fy herian mai clirio tail yr eliffantod fyddwn i. Ond na, ces waith yn y caffi yn y diwedd, diolch byth. Roedd angen cryn ymroddiad, a dweud y gwir, am ei bod yn awr o daith o Dreffynnon yn y bore ac awr yn ôl wrth gwrs. Felly roeddwn i'n gadael am hanner awr wedi saith y bore ac yn cyrraedd yn ôl am saith y nos.

Doedd gen i ddim cymaint â hynny o ddiddordeb mewn anifeiliaid gwyllt, mae'n rhaid dweud. Ond roedd criw go lew o fyfyrwyr yn gweithio yno ar y pryd ac roedd hynny'n hwyl. Roedd digon o gyfle hefyd i gerdded o gwmpas yn ystod yr egwyl amser cinio a sgwrsio efo rhai o'r bobl oedd yn gofalu am yr anifeiliaid a dod i ddeall ffordd o fyw rhai o'r anifeiliaid gwyllt.

O ran gwaith, yn y 'Friary' roeddwn i, yn ffrio chips i bawb. Priodol iawn, mewn gwirionedd, gan fod mam fy nhad wedi bod yn cadw siop chips yng Nghaernarfon.

'Mae o yn y gwaed,' meddai rhai ar y pryd.

Wel, yn ôl lefel fy ngholesterol, ydi, mae o yn y gwaed!

I'r byd mân-werthu â fi nesa, ac i warws Dyson a Wilkins, canolfan Cash and Carry. Job gyda'r nos oedd hon, yn llenwi'r silffoedd. Roedd yr amseru'n berffaith am i mi fod yn gweithio yno yn ystod cyfnod o brinder siwgr dybryd. Yn wir, câi bagiau siwgr eu dogni ar y pryd, tua dechrau'r saithdegau mae'n siŵr. Ond roeddwn i'n cael mwy nag a gâi'r cyhoedd, ac felly fyddai dim prinder siwgr yn y mans. Ymateb fy nhad oedd ei ddosbarthu i gartrefi'r henoed a'r anghenus – rhyw wyrdroi stori Robin Hood am wn i!

Cefais fathodyn mawr crand yn fy swydd haf nesaf, 'I am Mr Playtime'. Na, dim byd i wneud â chlybiau nos y Rhyl, ond gwaith yn edrych ar ôl y plant ar draeth Llandudno. Dyna fy enw i: Mr Playtime! Prosiect newydd ar gyfer yr haf gan adran dwristiaeth y Cyngor, dan ofal Hafwen Williams, gwraig y diweddar Gari Williams.

Y syniad oedd bod rhieni'n gadael eu plant efo fi os oedden nhw am fynd i ffwrdd am rai oriau. Fy ngwaith i wedyn oedd eu difyrru trwy chwarae rownders neu beth bynnag arall y gallwn ei wneud. Bob dydd Gwener, mi fyddai cystadleuaeth gwneud cestyll tywod a'r Maer yno i feirniadu.

Wel, sôn am gythraul canu ac 'mae o wedi cael cam!' yr eisteddfod. Roedd hynny i'w glywed ar ei ganfed bob dydd Gwener ar draeth Llandudno a byddai'r chwarae'n troi'n chwerw go iawn yn aml.

'Ma castell Sioni ni'n well na chastell eu Sioni nhw. Pam nad fo sydd wedi ennill?'

'Arfon, ti sydd wedi trefnu hyn i gyd – beth wyt ti'n 'i feddwl? Pa gastell wyt ti'n gredu sy ora?'

'Wel, mae'r ddau'n dda iawn...'

'Ia, ond pa un sydd ora? Un Sioni ni, yn amlwg!'

Bob wythnos, yr un oedd y stori! Ond os mai'r gwaith yn Shotton oedd y caleta i mi ei wneud erioed, hwn oedd yr hawsa. Roedd y cyfan yn ddibynnol ar ddau beth – y tywydd a'r llanw. Os oedd y tywydd yn ddrwg doedd dim gwaith i mi ac os oedd y llanw i mewn doedd dim gwaith wedyn chwaith.

A dyna ni, rhestr hir o waith dros dro. O ie, a rhaid ychwanegu pwt am y cyfnod pan weithiwn i Gyngor Treffynnon yn torri gwair yn y parciau cyhoeddus ac ati – unwaith eto, pan own i'n athro yn y sir. Yr atgof mwya sydd gen i am y gwaith yw mynd allan â chryman un dydd i dorri gwair a llwyddais i dorri drwy nyth o lygod Ffrengig efo un trawiad â'r cryman. Gwaeth byth, roedd rhai bach yno hefyd, a dyma rai bach a mawr yn tasgu i bob cyfeiriad yn gwichian a sgrechian drwy'r trwch a finnau'n teimlo'n ddigon sâl wrth wylio'r helfa'n dianc.

Falle mai casgliad o jobsys bach digon amrywiol ydyn nhw, ond mi fuon nhw'n bwysig iawn i mi, ac mi ddangoson nhw fy nhueddiadau cynnar i fentro i sefyllfaoedd amrywiol, yr awydd i sgwrsio efo'r byd a'i frawd, a'r hoffter o roi cynnig ar wneud pethau cwbl wahanol i'w gilydd.

Ar y pryd, roedd yna fanteision mwy uniongyrchol. Arian, yn amlwg, yn enwedig efo'r gwaith a wnawn pan own i'n fyfyriwr. Ond, yn fwy na hynny, hyd yn oed yn y cyfnod hwnnw, roedd y syniad bod gwaith yn creu annibyniaeth. Doeddwn i bellach ddim ym myd plant a phobl ifanc.

Roedd arian ychwanegol y jobsys hyn yn help hyd yn oed pan own i'n athro. Un fantais weledol o hynny oedd y system Hi-Fi a brynais o ganlyniad i'r incwm ychwanegol. Roedd dyddiau'r Dansette yn dod i ben ac angen system lawer gwell i wneud cyfiawnder â'r gerddoriaeth a ddenai fy mryd.

Felly, draw â fi i siop Jeff Williams a phrynu system lle'r oedd y *speakers* yn gyfan gwbl ar wahân ac yn rhai eithaf mawr hefyd! Ar ben hyn oll, roedd yn rhaid eu mewnforio o Czechoslovakia. Bu'n rhaid iddo fynd i'r parlwr efo'r celfi gorau yn y mans yn Nhreffynnon.

Un prynhawn, a minnau wedi troi pob botwm i'r lefel ucha posib, ac Eric Clapton yn bloeddio ar draws y stryd, torrodd sŵn dychrynllyd ar draws y cyfan. Y tu ôl i mi, torrodd silff wydr yn deilchion yng nghabinet gorau Mam, o ganlyniad i ddirgryniadau'r Hi-Fi. Ar y silff, roedd set o lestri a dderbyniodd yn anrheg priodas a'r rheini yn eu tro'n disgyn ar y silff oddi tanynt, gan chwalu'r llestri ar y silff honno hefyd.

Roedd Mam wedi'i siomi'n aruthrol, ac wedi'i brifo, am beth amser wedi hynny. Dyna ddiwedd ar yr Hi-Fi yn y parlwr ffrynt, ac i fy llofft i y cafodd fynd yn reit handi.

Wrth edrych 'nôl dros y cyfnodau amrywiol o waith mynd a dod, dw i'n aml wedi cymryd cysur wrth dderbyn sylwadau tebyg i:

'Ti ddim yn gallu galw gweithio yn myd teledu yn job go iawn, wyt ti?'

'Ti erioed wedi gwneud gwaith go iawn yn dy fywyd!'

Wel, ar adegau felly, mi alla i droi at yr amrywiol waith wnes i dros wyliau haf neu ar benwythnosau, ac ateb, 'Ydw, a dweud y gwir, dw i wedi!'

PENNOD 9

MEDALAU AC EMLYN

RYDW I WEDI CRYBWYLL eisoes y ffaith mai swydd athro gefais i ar ôl adael fy nghyfnod yn y Drindod. Yn union wedi i mi adael, cefais gyfarfod efo Moses Jones, Cyfarwyddwr Addysg Sir y Fflint. Y dyddiau hynny roedd disgwyl y byddai'r Awdurdod a roddodd y grant i chi astudio wedyn yn teimlo dyletswydd i ddod o hyd i swydd i chi. Rhywbeth sy'n gwneud lot fawr o synnwyr a dweud y gwir. Felly y bu hi i mi. Dywedodd Moses Jones fod swydd ar gael yn Ysgol Gynradd Brynford, heb fod ymhell o Dreffynnon. Cefais y swydd, fel athro i blant rhwng saith a naw oed.

Roedd yn ysgol hyfryd a minnau'n mwynhau cael y cyfle i bicio i lawr i'r cantîn am baned a chacennau efo'r staff. Roedd y dysgu hefyd yn hynod o bleserus. Doeddwn i ddim yn yr un gynghrair â rhywun fel Mary Vaughan Jones, ond roedd y cyfnod ar ddiwedd prynhawn, pan fyddai cyfle i ddarllen stori i'r plant, yn un o'r cyfnodau mwya gwerthfawr.

Ar ben hyn oll, dw i ddim yn credu i mi fod mor ffit erioed! Bob amser chwarae neu amser cinio byddwn i'n chwarae pêl-droed efo'r plant. Ar y cychwyn, roedd yn fater syml o ba bynnag gapten fyddai'n dewis Mr Davies, roedd y tîm arall yn cael dewis dau. Ond yr hyn oedd yn anodd ei dderbyn, ymhen peth amser, oedd i'r plant ddechrau fy newis yn hwyrach ac yn hwyrach yn y rhestr ac erbyn y diwedd roeddwn efo'r olaf i gael fy newis.

A finnau newydd ddechrau dysgu, cafodd Nhad gais i symud i ardal Bae Colwyn yn weinidog. Roeddwn wedi bod yn byw gartre wrth ddysgu yn Brynford, ac felly, os own i am symud efo nhw, roedd angen car arna i. Austin Healey Sprite oedd y cynta, a dw i'n credu i mi dalu £70 amdano. Hunllef o gar! Mae'n amlwg bod rhywun wedi ceisio addasu to caled gwreiddiol y car a chreu to meddal. Anodd iawn oedd ei gychwyn yn y bore. Dw i'n cofio dod 'nôl ato unwaith a gweld y gorchudd cynfas y byddwn yn ei roi dros y car yn chwythu i'r pedwar gwynt ac yn hedfan fel Zeppelin anferth ar hyd ffurfafen gogledd Cymru. Roedd dŵr yn gollwng drwy'r to a'r car yn socian.

Hillman Imp ddaeth wedyn, a'r injan yng nghefn y car. Cefais drafferth efo hwnnw hefyd, a'r cyngor a gefais gan y garej oedd bod angen clymu cordyn i'r throtl yn yr injan, ei rhedeg ar hyd y car at sedd y gyrrwr ac i mewn drwy'r ffenest. Dyna wnawn i wedyn, gyrru'r car gan afael mewn cordyn yn fy llaw dde er mwyn tynnu'r throtl yn ôl yr angen. Fel y gallwch ddychmygu, roedd newid gêr yn hynod o anodd!

Morris Traveller ddaeth wedyn, ac yna Morris 1100, lle'r aeth ffrind i mi, a oedd yn eistedd yn y cefn, drwy'r *sub-frame* gan ei fod wedi rhydu cymaint. Aeth cymaint o 'nghyflog yn ystod y flwyddyn gynta ar geir sâl.

Yn ardal yr ysgol, roedd cryn dipyn o deuluoedd y sipsiwn. O ganlyniad, wrth gwrs, roedd nifer o blant y teuluoedd hynny yn yr ysgol. Un ohonyn nhw'n benodol fu'n gyfrifol am yr embaras mwyaf i mi ei brofi erioed, nid yn unig yn ystod fy ngyrfa ddysgu.

Donald oedd enw'r disgybl, bachgen â gwallt coch llachar a llygad croes, bachgen direidus tu hwnt a oedd yn anodd ei ddisgyblu. Yn yr ysgol ar y pryd, roedd system llysoedd neu dai. Ar y diwrnod penodol hwn roedd angen rhannu'r plant i'w tai perthnasol. Gwnaeth pawb hynny'n weddol drefnus, heblaw am Donald, wrth gwrs, ac yntau heb unrhyw fath o ddisgyblaeth o gwbl.

Wrth ei weld yn ymlwybro'n ddigyfeiriad, heb ddangos dim diddordeb dod o hyd i'r tŷ lle dylai fod, bu'n rhaid i mi ddweud wrtho o flaen pawb:

'Come on now, Donald. What house are you in?'

'Sir, Sir, I don't live in a house – I live in a caravan!'

Dywedodd y geiriau mewn tôn oedd yn awgrymu ei fod yn agos at ddagrau a thor calon. Dyna'r adeg yn fy mywyd pan deimlwn fwyaf lletchwith. Teimlwn i'r byw dros Donald druan, wrth iddo chwalu o dan emosiwn y foment, ac roeddwn i'n ymwybodol i mi fod yn amhroffesiynol.

Donald oedd yr hogyn a fyddai'n dod â brithyll i mi'n anrheg yn weddol aml. Roeddwn i'n gwerthfawrogi'r peth yn fawr nes i mi ddeall o le y deuai'r brithyll – o danc pysgod y tu ôl i dafarn ar y ffordd fawr rhwng yr Wyddgrug a Dinbych!

Ond yn llawer gwaeth na hyn oll, daeth cwmwl du iawn dros fy nghyfnod ym Mrynford. Yn ddisymwth, bu farw tri o blant yr ysgol mewn cyfnod byr iawn. Anodd iawn oedd dygymod ag un drasiedi mewn ysgol gynradd ond roedd tair y tu hwnt i bob amgyffred. Dyna oedd fy mhrofiad cyntaf o annhegwch go iawn a dw i ddim wedi cael profiad o drasiedïau tebyg ers hynny.

Heb fanylu'n ormodol, bu farw un mewn damwain car, un wedi salwch a'r llall yn dilyn damwain ar y fferm.

Yr annhegwch oedd yn fy nharo yn fwy na dim. Pam?

Pam? Pam? Roedd gweld yr effaith ar y rhieni yn ysgytwol, does dim gair arall. Daeth ag atgof o ddyddiau fy mlwyddyn gyntaf yn y Drindod. Hydref 1966. Aberfan. Ychwanegiad at eirfa trasiedïau'r byd, a phlant yng nghanol y stori. Dw i'n cofio ymateb Norah Isaac a hithau'n mynegi effaith y drasiedi arni hi, ac yn gofyn sut roedd y fath beth wedi gallu digwydd, ac wedi cael digwydd? Unwaith eto, fel y dysgais wedyn, bu fy nhad yn llythyru efo'r rhai a fu ynghanol y drychineb.

Erbyn hyn, roedd y chwilen actio neu berfformio wedi bod yn brathu ers peth amser, o ganlyniad i'r dylanwadau gwahanol ac amrywiol a nodwyd eisoes. Ond, eto i gyd, doedd hi ddim yn gymaint o ysfa nes hawlio bod yn rhaid i fi gael profiad ohono'n ddi-gwestiwn. Roedd yn fwy o syniad y byddai'n braf petawn yn gallu cael cyfle i berfformio.

Yn y cyfnod hwnnw, roedd ffrind i mi, David Hughes, a minnau yn aml yn mynd am drip i Stratford. Yn amlach na pheidio, aros mewn pabell fydden ni ac yn treulio cryn dipyn o amser y tu allan i ddrws y llwyfan yn aros i gyfarfod ag actorion fel Judi Dench, yr Helen Mirren ifanc, Iain Richardson, Alan Howard yn perfformio *Hamlet*, a fy arwr Shakespeare mawr i, Emrys James. Yn ogystal â'i weld fel Pericles a Shylock, roeddwn i'n ymhyfrydu yn y ffaith fod baner y ddraig yn chwifio o ffenest ei stafell newid yn Stratford.

Mae'n siŵr bod hyn oll wedi dechrau ffurfio rhyw awydd ynof, ac mae'n bosib i mi sôn wrth fy nhad am y diddordeb hwn ym myd y ddrama. Efallai hefyd i mi sôn am yr awydd i fynd i goleg drama er fy mod yn ymwybodol nad own i'n arbennig o dalentog yn y maes hwnnw. Dyna pryd y cefais fy nghyflwyno i ddwy ddynes, Miss Morris a Miss Hughes.

Roedd Miss Morris yn mynd i'n capel ni, yn athrawes wedi ymddeol o Ysgol Uwchradd Bae Colwyn, ac yn rhannu tŷ efo Miss Hughes. Roedd Miss Hughes yn cynnal dosbarthiadau hyfforddi llais ac ati. Roeddwn i'n ymwybodol iawn fod pob perfformiad a roddais i cyn hynny wedi bod yn y Gymraeg. Fyddai hynny'n broblem?

Wel, na doedd o ddim. Dechreuais fynd ati ar fore Sadwrn ac mi wnes barhau i fynd yno am flynyddoedd. Mi sefais arholiadau LAMDA yn gynta, wedyn rhai'r Guildhall. Ac yn gwbl groes i'm holl addysg tan hynny, cynradd, uwchradd a choleg, roeddwn i'n cael marciau uchel, da, cyson, ynghyd â chanmoliaeth yn aml. Roedd y darnau arholiad hyn fel arfer yn un darn o ryddiaith, un darn o farddoniaeth a darn o Shakespeare. Roeddwn i wrth fy modd efo brenhinoedd Shakespeare – dyna fy ffefrynnau o bell ffordd.

Dw i'n cofio un feirniadaeth negyddol fodd bynnag, pan own i'n adrodd darn Romeo. Y sylw oedd, '... an unconvincing Romeo... ' Dim syndod yn hynny!

Ac, yna, roedd pedwerydd categori, darn hunan ddewisiad a byddwn i'n dewis rhywbeth fel *A Child's Christmas in Wales*, Dylan Thomas, neu ryw ddarn tebyg. Un tro, pan own i newydd ddechrau morio *Child's Christmas*, anghofiais y darn yn llwyr. Ond mi ddaliais ati, gan gyfansoddi ar y pryd yn null Dylan. Mae actorion yn sôn am 'instant Shakespeare' lle mae gofyn cyfansoddi ar y pryd yn null y Bardd o Stratford, wel, 'instant Dylan' oedd hi i mi yr adeg honno. Mi ges farc anrhydedd am y perfformiad hefyd a neb, mae'n siŵr, fawr callach i mi greu ei hanner fy hun.

Daeth trydedd Miss i'r darlun wedyn, cyfeilles i'r ddwy arall, Miss Dawn. Roedd ei gŵr yn un o'r rhai fu'n gyfrifol am sefydlu'r theatr yn Stratford ac wedi iddi siarad â mi am dipyn, roedd yn awyddus i mi fentro ar arholiadau'r Poetry Society. Roedd arholiad efydd, arian ac aur ac yna un a fyddai'n arwain at gael plac arbennig. Cefais y cyfan yn y diwedd wedi tua dwy flynedd o deithio'n ôl a blaen i Lerpwl.

Daeth yr amser pan oedd yn rhaid gofyn ble nesa? Ceisiais am swydd yn Theatr Felinfach i ddechrau, a chael geirda gan Norah Isaac ar gyfer y swydd honno. Ond, er mawr siom i mi, nid y fi gafodd y swydd, ond cyd-fyfyriwr i mi yn y Drindod, Hywel Evans. Ond daliai fy magwraeth i ddylanwadu arnaf wedi'r siom, a dywedais wrtha i fy hun, wel, doedd o ddim i fod.

Wedi derbyn cyngor gan Miss Hughes a Miss Dawn, mi geisiais gael mynediad i'r Guildhall i ddilyn cwrs drama yno. Cefais fy nerbyn. Roedd bod yn athro ym Mrynford yn ddigon derbyniol ond roedd cael fy nerbyn i'r Guildhall yn gam arall eto.

Siom a gefais i unwaith eto, fodd bynnag. Doedd dim gobaith i mi gael grant am i mi dderbyn un yn barod i fynd i Goleg y Drindod. Felly bu'n rhaid gwrthod y cynnig. Am siom!

Tua'r un adeg, daeth arolygydd i'r ysgol gynradd, John Edwards, awdur llyfrynnau poblogaidd *Talk Tidy*. Wrth sgwrsio efo fo, dywedais am fy mhrofiad efo'r Guildhall. Soniodd am goleg arall, Central School of Speech and Drama ac awgrymodd y byddai'n bosib i mi gael secondiad i fynd yno am flwyddyn, ar yr amod y byddwn yn dychwelyd i ddysgu wedyn. Am gynnig!

Ysgrifennais at y Central a chyn pen dim, roeddwn i wedi fy nerbyn. Doedd dim angen talu am fynd yno ac felly doedd dim yn fy rhwystro rhag derbyn y cynnig. Ni

Yn fy siglen, Taid Nwydy wedi ei gwneud

Teulu'r Mans, 1949

Mam, fi a fy ffrind gorau, Cymro, Llandeilo

Mam a Dad yn chwarae badminton yn ardd gefn Wesle Mans, Aberystwyth

Gyda fy mam a'm chwaer yn Llandeilo, Awst 1953.

Llandeilo – fi a Cymro ar y ceffyl pren roedd Taid Nwydy wedi ei wneud

Problem efo'r car bach yn Llandeilo

Helpu yn yr ardd yng Nghefn Hendre, Caernarfon, tŷ Nain a Taid Nwydy

Mab y Mans

Nain a Taid Nwydy, Anti Nin, Anti Blod, Mam a fi

Teulu'r Mans, 1957

Taid Nwydy, fy chwaer Catherine a fi

Yn Nwydy efo Gwenda Porth yr Aur

Efo Taid Nwydy yn Llandeilo

Mam a fi yn Llandeilo

Ar drên Ffestiniog ym Mhorthmadog

Llygoden hynod o anhapus!

Priodas Aur Nain a Taid

Ar wyliau – newydd dderbyn canlyniadau lefel O. Sut roedd Mam a Dad yn gallu edrych mor falch?

Ffug etholiad Ysgol Glan Clwyd, 1966

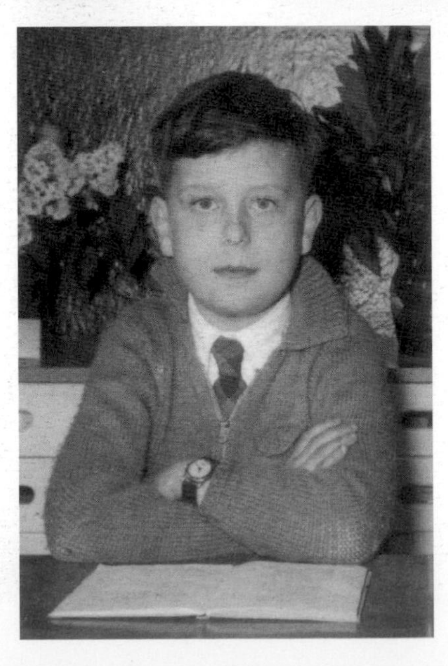

Ysgol Gymraeg Aberystwyth

Hanes Thomas Cook. Drama'r capel Treffynnon, 1966. Merfyn Roberts, Brenda Jones a fi

Teulu'r Mans, 1972

Gyda phlant Ysgol Brynhyfryd ar benwythnos yng Nglan-llyn

Staff Ysgol Brynford

Yr athro ifanc. Am olwg!

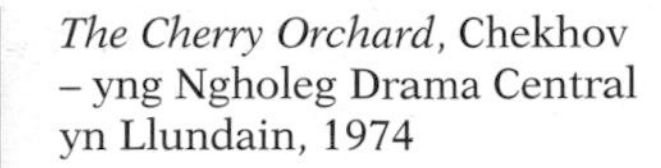

The Cherry Orchard, Chekhov – yng Ngholeg Drama Central yn Llundain, 1974

Efo Sian Adey Jones ar ôl iddi ennill Miss Stables – clwb nos yn Llanelwy

Efo Nia Ceidiog, cyd-gyflwynydd ar *Seren Wib*

Seren Dau

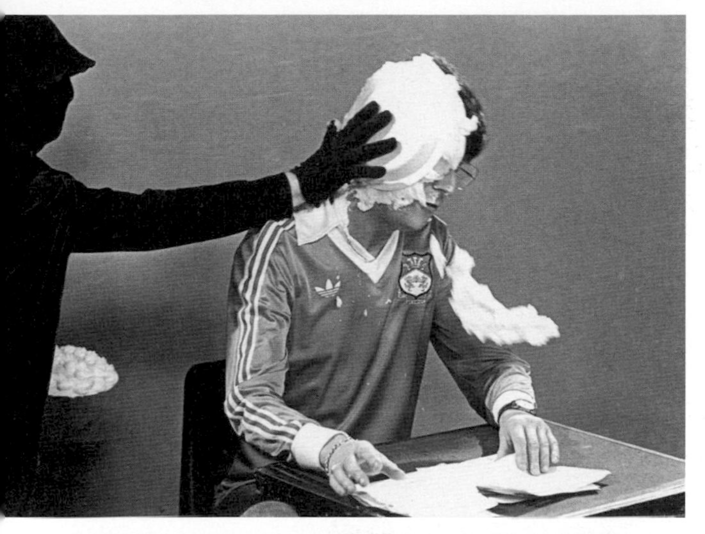

Tiswas. Yr enwog *Phantom Flan Flinger*

Lenny Henry a fi'n ceisio dynwared Tommy Cooper

Tiswas efo Lenny Henry fel Trevor McDonaught

Y llun cyhoeddusrwydd cynta, 1975

Cenfigen! Dafydd Pierce a Myfyr Issac ar *Seren Dau*

Tîm pêl-droed HTV yng nghystadleuaeth rhanbarthol ITV yn Llundain

Y Dydd Hwnnw – triniaeth gyfoes o ddrama'r Pasg a gynhyrchwyd gan Gwyn Erfyl

Cyflwynydd *Miss Club Double Diamond*, Caerffili, yng nghwmni'r merched oedd yn cystadlu

Saturday Night Fever, Seren Wib

Y *Seren Dau* ola – chwarae yn y band efo Derec Brown a'r Racaracwyr

Gydag Elinor ar y gyfres *Wstibethna*

Cystadleuaeth adran y wasg HTV ar gyfer yr Eisteddfod Genedlaethol

Llun cyhoeddusrwydd ar gyfer Eisteddfod yr Urdd, Bro Colwyn

Un o feirniaid *Miss Sunny Rhyl*. Gwaith caled ond roedd yn rhaid i rywun ei wneud!

Llun cyhoeddusrwydd i *Seren Wib*

Ar y traeth ym Mae Colwyn efo Mickey Thomas yn ystod streic ITV, Haf 1979

Tiswas

Eitem ffasiynnau ar gyfer y gyfres *Hamdden*

Ymlacio yn chwarae tennis 'nol yn yr wythdegau

fyddai'r fath beth wedi bod yn bosibl oni bai am Miss Hughes.

Felly, daeth fy niwrnod olaf yn Ysgol Brynford. Diwrnod teimladwy, trist, a dweud y gwir. Roedd y plant wedi gwneud casgliad a phrynu *briefcase* i mi. Yn anochel, mi wnaeth yr holl deimladau i mi gwestiynu fy mhenderfyniad ac amau a own i'n gwneud y peth iawn. Ond, wedi ystyried, roedd yn gwbl amlwg mai dyma'r cam cywir i mi ar y pryd. Roeddwn i'n cael mynd i goleg da iawn, heb orfod talu, heb fod unrhyw bwysau ar fy rhieni, a heb fod mewn dyled aruthrol wedi i mi adael. Llundain amdani felly.

Wedi tair blynedd efo Miss Hughes, roeddwn wedi pasio arholiadau di-ri ac roeddwn i'n gallu rhoi llythrennau fel LRAM ar ôl fy enw petawn am wneud hynny, yn wahanol iawn i'r tair llythyren roeddwn wedi'u cael y tu ôl i'm henw yn yr ysgol: TWP! Roeddwn i'n gymwys i ddysgu hyfforddiant llais fy hun hefyd. Sut y llwyddodd addysg Miss Hughes wedi i ymdrechion pawb arall fethu? Dw i wedi gofyn y cwestiwn hwnnw i mi fy hun droeon dros y blynyddoedd. Yr ateb, am wn i, yw am fod popeth mor ymarferol. Perfformio darn, trafod y darn wedyn ac esbonio pam y dewisais o.

Wedi cyrraedd y Central, roedd pymtheg ohonon ni ar y cwrs – tri ar ddeg am ddychwelyd at eu gwaith fel athrawon ar ddiwedd y flwyddyn a dau am fod yn actorion ac anghofio dysgu. Fi a'm ffrind George.

Yn Llundain hefyd, wrth gwrs, roedd cyfle i fwynhau fy holl ddiddordebau – gweld pêl-droed yn Arsenal, Chelsea a Fulham, y grwpiau gorau yn y Rainbow a digon o orsafoedd hefyd. Ond ac ystyried y cwrs roeddwn i'n ei ddilyn, y fantais fwya, yn amlwg, oedd cael bod mor agos i'r West End.

Daeth un prosiect coleg â'r theatr a Threffynnon at ei gilydd i mi mewn modd hwylus iawn. Yn y Drindod, roeddwn i wedi gwneud thesis ar waith Emlyn Williams – dramodydd, actor ac awdur na chafodd gymaint o sylw yng Nghymru ag y dylai fod wedi ei gael. Hyd yn oed yn y Drindod, doedd Norah Isaac ddim yn rhy frwdfrydig pan ddywedais fy mod am ysgrifennu thesis arno.

Ond roeddwn i'n ymwybodol ohono am sawl rheswm. Un o'i ffrindiau penna oedd cyd-weinidog i Nhad, Whitford Roberts, a thrwy'r cysylltiad hwnnw, cefais gyfle i fynd i weld perfformiadau un-dyn enwog, Emlyn Williams, yn cyflwyno gwaith Charles Dickens, a hynny yn y Pafiliwn yn y Rhyl. Daeth cyfle ar ddiwedd y sioe i'w gyfarfod hefyd.

Yn y Central, mi wnes thesis ar hanes y Theatr Genedlaethol. Trwy lwc, roedd Emlyn Williams yn perfformio yn Theatr Shaftesbury Avenue ar y pryd. Felly, ar bapur y Central School of Speech and Drama, ysgrifennais ato a gofyn am gyfle i'w holi ar gyfer fy ngwaith. Cytunodd, a draw â fi.

Cefais hanner awr o sgwrs ddifyr tu hwnt efo fo. Ond roedd yn ansicr iawn ynglŷn â siarad Cymraeg efo fi a mynnodd gynnal y sgwrs yn Saesneg. Nododd wrth basio fod Cymro arall am ddod i'w weld wedi i mi orffen sgwrsio ag o ac, yn wir, ychydig cyn i ni orffen, daeth cnoc ar y drws ac i mewn y daeth Hywel Bennet. Roeddwn i'n gyfarwydd iawn ag o wrth gwrs oherwydd poblogrwydd ei gyfres *Shelley* a'i ran yn y ffilm *Virgin Soldiers*.

'Helô, Hywel, prynhawn da,' meddai Emlyn Williams yn ei Gymraeg naturiol gorau. 'Mae Arfon yn Gymro ac yn Gymro Cymraeg hefyd. Ydych chi'n siarad Cymraeg, Hywel?'

'No, I don't speak Welsh actually.'

'O, dyna drueni, ynte Arfon?'

Roedd hwnnw'n brofiad rhyfedd iawn. Gwrthod siarad Cymraeg efo fi drwy'r prynhawn ac wedyn mynnu siarad Cymraeg efo rhywun nad oedd yn gallu gwneud hynny. Yr holl ffordd adre ar y bws o'r West End, ceisiais ddyfalu pa bwynt roedd Emlyn Williams yn ceisio ei wneud y pnawn hwnnw, ac i bwy.

Ond fel actor a dramodydd mae gen i barch mawr ato o hyd a hefyd fel un o gymwynaswyr mawr actorion o Gymru, yn gynnar iawn yn eu gyrfaoedd. Yr enghraifft enwoca, wrth gwrs, yw Richard Burton. Ond mae actorion eraill fel Victor Spinetti a Siân Phillips wedi elwa o'i gefnogaeth a'i haelioni.

PENNOD 10

CYRRAEDD A GADAEL

WRTH I DDIWEDD FY mlwyddyn yn y Central School for Speech and Drama yn Llundain agosáu roeddwn i'n gwybod bod penderfyniad anodd i'w wneud. Roedd yn rhaid dechrau wynebu un cwestiwn pwysig – ble nesa? Yn sicr, doedd dim awydd arna i fynd 'nôl i ddysgu. Dyna oedd i fod i ddigwydd. Blwyddyn o secondiad yn unig roeddwn i wedi ei gael o'r swydd fel athro ysgol gynradd yn Nhreffynnon, a 'nôl i'r ysgol ar ddiwedd y cyfnod oedd amod y cytundeb. Ond nid dyna oedd fy nymuniad i, mi ddaeth hynny'n fwyfwy amlwg wrth i'r cwrs fynd rhagddo.

Roedd yn gyfnod o bwyso a mesur, felly, ond heb wybod beth yn union a gâi ei bwyso a'i fesur. Ar ben hyn oll, mi aeth y broses yn fwy cymhleth wrth i mi sylweddoli'n raddol bach nad own i mewn gwirionedd yn debygol o ennill fy mara menyn wrth actio yn broffesiynol chwaith.

Er i mi ddilyn cwrs drama yng Ngholeg y Drindod, astudio'n llwyddiannus i ennill medalau perfformio amrywiol wrth ennill bywoliaeth fel athro, a llwyddo i gael mynediad i sefydliad mor safonol â'r Central, roedd yn rhaid i mi ddechrau derbyn nad oedd llawer o addewid, nac yn wir lawer o dalent actio yn perthyn i mi.

Ac, ar ddiwedd y dydd, doedd y ddisgyblaeth ddim gen i chwaith. Roedd hyn yn agoriad llygad poenus.

Trodd gwanwyn 1975 yn haf, a dyna'r darlun oedd yn ffurfio'n araf ond yn bendant wrth i'r tymor olaf ddiflannu; dim awydd i fynd 'nôl i ddysgu, dim llawer o obaith dilyn gyrfa fel actor. Codai cant a mil o gwestiynau yn fy meddwl. Bu'n rhaid i mi holi fy hunan o ddifri calon, 'Pam y treuliais i gymaint o amser ym myd y ddrama cyn sylweddoli nad drama fyddai'n rhoi bywoliaeth i mi?' O le daeth yr hoffter yma o ddrama yn y lle cynta? Beth neu bwy blannodd yr hedyn? Yn y diwedd, daeth un digwyddiad i'r cof mor bell yn ôl â 1966 – y flwyddyn hapusa a ges i yn ystod fy addysg. Y flwyddyn honno, daeth Cwmni Theatr Cymru i Theatr Fach y Rhyl i berfformio *Saer Doliau*, a daeth yr actorion i'r ysgol i siarad â'r chweched dosbarth.

Mae'n amlwg i'r ymweliad hwn greu'r cyffro arferol ymhlith y disgyblion wrth gynnig rhywbeth i dynnu sylw oddi ar amserlen arferol y dydd. Ond roedd yn cynnig mwy na hynny i mi. Dwi'n cofio Gaynor Morgan Rees, Owen Garmon a David Lyn yn cerdded drwy'r adeilad, cofio rŵan eu gweld nhw'n arwyddo llofnodion i fy nghyd-ddisgyblion – ac i minnau hefyd wrth gwrs! Wrth i'r cyfan ddistewi a'r ysgol yn dychwelyd i'w rhythm arferol, dwi'n cofio meddwl mor braf oedd bywyd actor. Cael gweithio efo'i gilydd, darllen sgript, ymarfer, cael mynd o le i le, cwrdd â phobol, arwyddo llofnodion ac ati. Dwi'n cofio meddwl, 'Ew, dyna fywyd braf!'.

Naw mlynedd yn ddiweddarach, yn fy stafell yn Neuadd y Methodistiaid, Muswell Hill, mae'n siŵr i mi ddod i'r casgliad mai delwedd yr actor oedd wedi fy swyno. Y syniad o fod yn actor yn hytrach na'r actio'i hun. Roedd hyn yn arbennig o wir wrth i mi feddwl am yr argraff gafodd David Lyn arna i'n benodol pan ddaeth i'r ysgol. Roedd rhywbeth arbennig yn perthyn iddo fo. Doeddwn i ddim yn gallu rhoi gair i'w ddiffinio pan own i yn yr ysgol ond erbyn hyn, 'presenoldeb' yw'r disgrifiad o'r hyn roedd David Lyn yn ei gynnig. Gwybod y gair neu beidio, roedd yn ddigon i gael dylanwad sylweddol ar siâp fy mywyd wedyn.

A dyna sylweddoli rhywbeth arall yr un pryd. Roedd delwedd yn bwysig i fi. George oedd fy ffrind penna yn Llundain ac roedd ei gyfeillgarwch yn werthfawr, fel mae hyd heddiw. Ond roedd yna elfen o edmygu ei ddelwedd yntau hefyd. Fo oedd yr un â'r car MGB, ac mi briododd ferch hynod o smart – model. Ac roedd o'n adnabod George Harrison! Dyna ran fawr o'r apêl ar gychwyn ein cyfeillgarwch, mae'n siŵr. Roedd o'n dipyn o arwr i mi. Diolch byth bod ein perthynas wedi ei adeiladu ar bethau llawer dyfnach nag argraff ers hynny.

Actio oedd yr unig beth roedd George am ei wneud ar ddiwedd ei gwrs, a dyna ddigwyddodd. Un o'r pethau cynta iddo ei wneud oedd cael rhan fel un o'r Wombles. Delwedd tra gwahanol.

Diolch byth bod mis Mehefin 1975 wedi cyrraedd i gynnig dihangfa rhag gorfod wynebu un o gwestiynau mawr bywyd. Dihangfa mewn un gair ac un lle – Wimbledon! Nid i weld George yn ei wisg newydd, ond er mwyn y tennis!

Dwi wastad wedi mwynhau tennis yn fawr ac ar hyd y blynyddoedd, fyddwn i ddim yn colli gwylio'r chwarae yn Wimbledon ar y teledu. Rŵan, a minnau yn Llundain, mi fyddai'n rhaid bachu ar y cyfle i giwio am oriau er mwyn gweld rhai o'r enwau mawr yn chwarae. Llwyddais i fynd i rai o gêmau'r rowndiau cynnar.

Dau arwr amlwg oedd gen i yn y byd hwnnw, Jimmy Connors a Chris Evert, a chyn i bwy bynnag gael eu coroni'n bencampwyr yr All England Lawn Tennis Association 1975, mi fyddai'n rhaid i mi wneud cymaint ag y gallwn i geisio gweld o leia un ohonyn nhw'n chwarae. Ond cyn hynny, roedd Bae Colwyn yn galw.

Daeth cyfle i fynd adre am benwythnos – mynd adre cyn trefnu beth fyddai'n digwydd i mi ar ôl gadael y coleg. Ac, oedd, mi roedd yna holi cyson ond amyneddgar a'r consyrn teuluol yn amlwg. Daeth Catherine, fy chwaer, ata i'n ddirybudd a rhoi copi o'r *Cymro* i mi.

'Edrych,' meddai hi. 'Ma 'na swydd yn cael ei hysbysebu yn fan 'na!'

Pwyntiodd at hysbyseb a logo HTV ar y top. Roedden nhw'n chwilio am gyhoeddwr i ymuno â'r staff yn Stiwdio Pontcanna.

Roedd fy ymateb yn gyflym a phendant.

'Dwi ddim isio eistedd yn fan 'na yn dweud wrth bobol "And next we have *Crossroads*, next this, next that."'

Na, doedd dim llawer o diddordeb gen i, a dweud y gwir. Ac ar ben hyn oll, doeddwn ddim am i unrhyw beth ymyrryd â'r posibilrwydd o fynd i Wimbledon. Aeth y *Cymro* i'r naill ochor heb feddwl ddwywaith – ar fy rhan i o leia.

'Ocê,' meddai Catherine. 'Mi wna i ysgrifennu at HTV ar dy ran di a gofyn am ffurflen gais.'

Y gwir amdani yw na fyddai unrhyw un wedi cael sioc o gwbl o glywed mai Catherine fyddai wedi mentro am swydd yn HTV. Roedd yn berson mwy llwyddiannus na fi'n gyhoeddus.

'Iawn,' meddwn i, gan feddwl mai dyna ddiwedd y stori.

Rhyw fore yn ystod yr wythnos ganlynol, 'nôl yn fy hostel yn Muswell Hill, roedd llythyr yn aros amdana i. Oddi wrth HTV. Gwahoddiad i fynd am glyweliad ymhen yr wythnos. Roedd yr amlen yn cynnwys sgriptiau amrywiol roeddwn i i fod i'w paratoi erbyn y clyweliad.

Roedd HTV y cyfnod hwnnw yn gwbl ddwyieithog wrth gwrs, yn yr ystyr bod y Gymraeg a'r Saesneg i'w clywed drwy gydol gyda'r nos. Roedd sgriptiau newyddion Cymraeg yn yr amlen a rhai Saesneg, ynghyd â sgript manylion rhaglenni, lle'r oedd gofyn symud o'r naill iaith i'r llall o fewn yr un linc.

'Next, at seven thirty, we'll be visiting Coronation Street, ac am wyth, mi fydd Gwilym Owen yma efo rhifyn arall o'r *Wythnos,* and then at eight thirty....'

Mae'n siŵr bod hyn oll yn drysu'r di-Gymraeg a fyddai'n gwylio wrth iddyn nhw symud 'nôl a mlaen rhwng deall a methu â deall wrth wylio'r bocs. Roedd yna gwyno cyson. I nifer o'r anfodlon, roedd ateb syml iawn – troi'r aerial i wynebu Gwlad yr Haf a derbyn HTV West.

Gyda llai nag wythnos cyn fy nghlyweliad, roedd yn rhaid galw am help George. A ninnau mewn coleg drama, mi allech chi feddwl fy mod yn y lle delfrydol i gael pob math o help. Oedd, mi oedd yna stiwdio deledu, sef camera fideo cartre wedi'i anelu at ddesg, ac un golau'n goleuo'r cyfan! Roedd dyn wedi ei benodi'n bennaeth ar y stiwdio hefyd, ond yn ei gôt frown tebyg i Ronnie Barker yn *Open All Hours*, roedd o'n debycach i ofalwr na phennaeth. Eisteddais y tu ôl i'r ddesg a darllen y sgriptiau orau y medrwn i i'r camera, dro ar ôl tro ar ôl tro. A George yno'n gwrando a chynnig cyngor, am y darnau Saesneg, o leia.

Ers y diwrnod cynta i fi gyrraedd y Central, roedd y

darlithwyr, ac un yn benodol, yn gweld problemau efo fy acen. Tra byddai myfyrwyr o rannau eraill o Brydain yn cael darnau o ryddiaith aruchel i'w darllen yn uchel er mwyn gwella eu hynganiad a mynegiant yn y darlithoedd Llefaru, beth ges i? *The Rise and Fall of the Roman Empire*! Darn sych academaidd mewn ymgais i ffrwyno acen a oedd, yn ôl un ddarlithwraig, yn codi a disgyn fel tonnau'r môr. Acen niwtral oedd y nod, ac Edward Gibbon oedd i fod i gynnig cymorth i mi sicrhau hynny. Rhaid i'r brawddegau orffen yn fflat yn hytrach na chodi'r llais fel roedd yn naturiol i fi wneud, ac roedd yn rhaid i'r geiriau fod yn 'clipped' yn y modd cywir. Ond wrth droi 'nôl at y Gymraeg, wel, dim ond un acen oedd yna i mi.

Gallwch ddychmygu fy rhyddhad un wythnos, pan ddywedodd y darlithydd mai'r darn darllen prawf nesa fyddai rhywbeth o'n dewis ni ein hunain! Haleliwia o waelod fy sgidiau! Doedd dim amheuaeth gen i beth fyddwn i'n ei ddewis. *Under Milk Wood,* Dylan Thomas a hynny gan fy mod wedi fy swyno'n llwyr gan Richard Burton yn perfformio'r gwaith. Dyna oedd i fod, dyna oedd fy ffawd – fi fyddai Richard Burton yn perfformio *Under Milk Wood* yn y Central yr wythnos ganlynol. Daeth y diwrnod mawr, a daeth fy nhro. Allan â fi.

'To begin at the beginning...' yn fy llais Burtonaidd gorau gan barhau heb faglu na phetruso drwy'r darn a chyrraedd yr uchafbwynt.

Tawelwch.

'If that were Richard Burton I would give him 10, but because it's you I'll give you 4. It's an interpretation I wanted, not an impersonation!'

Doedd hi ddim yn hapus a dweud y lleia!

Dyna'r math o beth a âi drwy fy meddwl wrth i mi

eistedd wrth fwrdd stiwdio'r coleg, neu'n ymarfer yn fy stafell wely, a sgriptiau HTV o'm blaen. Roeddwn i'n gorfod symud o'r naill iaith i'r llall a symud o un acen i'r llall, neu hyd yn oed o fwy nag un acen i un arall o fewn yr un stori! Mi fyddai angen cryn dipyn o ymarfer.

Penderfynais mai da o beth fyddai gwneud tâp o'r ymarferion, a dyna wnes i, gan wrando ar fy ymdrechion dro ar ôl tro.

Mae'n gas gen i fod yn hwyr i unrhyw le, yn wir mae'n obsesiwn gen i i wneud yn siŵr nad ydw i byth yn hwyr. Dyna wnaeth i mi benderfynu a fyddwn yn cael tacsi neu fws o Orsaf Ganolog Caerdydd draw at stiwdios Pontcanna ar y diwrnod mawr. Doedd dim digon o arian gen i i gael tacsi'r ddwy ffordd, felly er mwyn sicrhau y byddwn yn cyrraedd mewn pryd, tacsi oedd hi i fod i HTV a bws 'nôl i'r orsaf.

I mewn â'r tacsi i faes parcio Stiwdio HTV, Pontcanna, ac allan â fi tuag at y dderbynfa. Mae'n anodd disgrifio'r teimlad, hyd yn oed rŵan, ond wrth i mi agosáu at y drws ffrynt, gam wrth gam, roedd y cyffro a'r brwdfrydedd yn dechrau cynyddu. Roedd y ceir yn tynnu fy sylw, y bobol yn y swyddfeydd, y mynd a'r dod, y cyfan yn llenwi fy llygaid ac yn gwneud i mi deimlo dipyn yn fwy brwdfrydig ynglŷn â'r swydd nag own i hyd yn oed yn yr orsaf.

Erbyn i mi fynd i mewn i'r dderbynfa ac eistedd i aros fy nhro, doedd gen i ddim amheuaeth ynglŷn a'r swydd o gwbl. Unwaith eto, y mynd a'r dod, y bobol efo'u *clipboards* ac, ie, y merched efo'u sgertiau byrion.

Wedi aros am beth amser, roedd fy hyder wedi codi digon i mi fynd draw at y ddesg i siarad â'r wraig a oedd newydd fy nghroesawu. Des i ddeall mai Beti oedd ei henw, a mentrais ofyn iddi:

'Who else is trying then?'

'Ooh! You're a cheeky one, aren't you!' oedd ei hymateb yn syth.

'Just interested, that's all,' meddwn i.

'I'm not supposed to tell you,' meddai hi'n bendant ond wrth ddweud y geiriau, trodd y darn papur o'i blaen nes ei fod yn fy wynebu i. Edrychais yn gyflym ar yr enwau. Doeddwn i ddim yn nabod y rhan fwya ond sylwais fod rhai'n athrawon. Diolchais iddi'n dawel fach, a 'nôl â fi i eistedd ac aros.

Cyn hir, daeth y rheolwr llawr draw ataf a mynd â fi i'r cyfweliad. Roedd y daith o'r dderbynfa i'r stiwdio yn golygu mynd heibio rhagor o stafelloedd, gan gynnwys ystafelloedd coluro a gwisgoedd. Wrth gerdded drwy ddrysau mawr y stiwdio, ac i mewn i'r golau llachar, sylweddolais y byddai'r clyweliad ar set *Y Dydd* a *Report Wales*. Roedd hynny'n ychwanegu at y teimlad rhyfedd a brawychus!

Fe'm cyflwynwyd i bob un ar lawr y stiwdio gan y rheolwr llawr, cyn cael fy arwain at 'Y Sedd'! Wrth eistedd yno, gwelais dri dyn yn eistedd yn y cysgodion y tu ôl i'r camera. 'Dyna'r tri fydd yn gwneud y penderfyniad terfynol,' meddwn yn dawel wrtha i fy hun, gan wneud nodyn yn fy mhen i gofio hynny drwy'r adeg.

'Make up will be here shortly.' Llais y rheolwr llawr.

'Make up!' meddwn i o dan fy anadl. Doeddwn i ddim wedi ystyried y byddai hynny'n digwydd. Wnes i i ddim diystyru sut y dylwn edrych ar gyfer y clyweliad yn llwyr. Roeddwn wedi cael amser i feddwl am hynny ynghanol yr holl ymarferion roeddwn i a George wedi eu gwneud. Yn wir, mi es ar drip arbennig i King's Road a phrynu siwt. Siwt ddenim las a chrys patrymog a thei glas i gyd-fynd efo'r cyfan.

Ar ôl i mi gael y colur, daeth y rheolwr llawr ataf.

'We're ready to start now, so when I say "OK" go through the scripts and if you make a mistake, don't stop, just keep going. We want to see how you react if anything goes wrong as well. Oh, yes, one other thing, when you've finished that, you'll have to speak for two minutes on a subject we give you.'

Gwenais. Roedd George wedi fy rhybuddio y byddwn yn gorfod siarad ar ryw bwnc, ac wedi awgrymu y dylwn baratoi dau funud o araith arnaf i fy hun, rhag ofn. Roeddwn wedi cael hanner rhybudd o leia.

'OK, off you go.'

Ac i ffwrdd â fi. Darllenais straeon newyddion yn y Gymraeg ac yn Saesneg, felly hefyd y penawdau chwaraeon. Pan gefais y sgriptiau roedd un peth wedi fy nharo'n rhyfedd, sef bod Machynlleth yn cael ei enwi nifer fawr o weithiau ymhob rhan o'r sgript. Deallais wedyn fod rheswm am hynny – sef awgrym gan Bennaeth HTV ar y pryd, Aled Vaughan. Er clod iddo, roedd yn mynnu bod yr ynganu bob amser yn gywir ac yn glir yn y ddwy iaith ac, yn ei dyb o, roedd y gair Machynlleth yn brawf go dda ar unrhyw ddarpar gyhoeddwr. Rhyfedd oedd gweld cymaint o gyfeiriadau at y dre honno yn y penawdau chwaraeon!

'Thank you. Now we want you to speak for two minutes about yourself.'

Diolch George! Roeddwn yn teimlo fel ei ffonio yn y fan a'r lle i ddatgan fy ngwerthfawrogiad. Dechreuais ar yr araith roeddwn wedi ei pharatoi, gan bwysleisio gymaint roeddwn i'n edrych ymlaen at weithio ym myd y teledu. Wrth lefaru'r geiriau o fy sedd yn y stiwdio, roeddwn i'n meddwl pob gair yn hytrach na dweud brawddegau ystrydebol a baratowyd yn Llundain.

'Thank you very much,' meddwn i wrth orffen, a cherddais i ysgwyd dwylo efo pob un ar lawr y stiwdio gan fynd yn ola at y tri yn y cysgodion.

'Thank you, thank you, thank you.' Ac yn ôl yr olwg ar eu hwynebau, roedd pob un yn rhyfeddu i mi drafferthu. Rydw i'n deall pam bellach. Y tri hynny oedd y *riggers*, y rhai oedd yn gofalu am y celfi a'r offer ar lawr y stiwdio, nid y rhai a fyddai'n penderfynu fy nhynged! Sibrydodd un yn fy nghlust:

'I don't know what you're bothering with that side for, this is where the money is!' Ac mae'n siŵr ei fod o'n iawn.

'Nôl â fi i'r dderbynfa, ac wrth gerdded ar hyd y coridor, daeth rhywun ataf a dweud:

'Well done!'

Pennaeth yr Adran Gyhoeddi.

'Thank you, I enjoyed it!'

'If you were successful, when could you start?'

'Tomorrow,' meddwn i'n orfrwdfrydig!

'That won't be necessary,' medda fo'n gwrtais. 'But could you start in about a week?'

A dyna pryd y trodd fy meddyliau yn ôl at yr eiliad yn y dderbynfa pan ddangosodd Beti restr yr ymgeiswyr i mi'n slei bach. Roedd rhai'n athrawon, felly yn gorfod rhoi notis o rai misoedd cyn gallu dechrau.

'Yes, I could start in a week, no problem,' atebais. 'But if I don't get this job, will you keep me in mind for presenting children's programmes in future?'

'Let's get this one out of the way first, shall we?'

Ac i ffwrdd ag o gan fy ngadael i'n sefyll yno yn ceisio

gwneud fy ngorau i beidio â darllen gormod i mewn i'r sgwrs.

Ond, ar y bws ac ar y trên, roedd ei eiriau'n troi yn fy mhen. 'Could you start in a week? ... Let's get this one out of the way first...' Rownd a rownd yn fy mhen. Roedd hynny i gyd yn swnio'n addawol. On'd oedd?

Mewn tŷ bwyta Eidalaidd yn Swiss Cottage yr adroddais stori'r dydd wrth George a'i wraig, gan unwaith eto gesio cadw fy llais a'm hysbryd yn weddol wastad, rhag codi gobeithion yn ormodol.

Mi aeth rhai dyddiau heibio heb i mi glywed gair gan HTV. Ac yna'n fuan un bore a finnau ar fin gadael yr hostel ar y ffordd i'r coleg, derbyniais lythyr gan HTV – ond doedd o ddim yn dweud i mi gael y swydd, nac yn dweud na chefais mohoni chwaith. Roedd gwahoddiad i ffonio HTV er mwyn i mi gael yr ateb.

'You can phone from my house,' cynigiodd George yn syth.

Yn betrusgar, dyna a wnes a chael gwybod eu bod am gynnig y swydd i mi. Roedd hyn ar ddydd Mercher.

'When do you want me to start?'

'Monday.'

Roedd George a'i wraig a minnau'n gorfoleddu yn y fflat bychan hwnnw. Wedi cael swydd ac yn dechrau ymhen llai nag wythnos. Os bu un person yn enghraifft fyw o'r dywediad 'yn y lle iawn ar yr adeg iawn', yna fi ydi hwnnw. Roeddwn i'n hynod lwcus. Rhaid oedd rhannu'r newyddion efo Mam a Nhad.

'Use the phone here again, Arfon,' cynigiodd George.

Ond, am ryw reswm, doeddwn i ddim yn teimlo fy mod yn gallu ffonio fy rhieni o'i dŷ o. Doedd hi ddim yn teimlo'n briodol gwneud hynny rywsut. Hyd heddiw, dydw i ddim yn siŵr iawn pam hynny. Felly, allan â fi i giosg wrth ymyl gorsaf Tube Swiss Cottage i rannu'r newyddion da efo'r teulu. Diolch byth bod Nhad yn weinidog a digon o gysylltiadau i drefnu lle i mi aros yng Nghaerdydd ar fyr rybudd.

'You know what this means as well, do you Arfon?' holodd George fi.

'No, what?'

'We can still try and fit Wimbledon in before you start!'

Roedd hynny'n newyddion arbennig o dda. Ar y dydd Gwener cyn i mi ddechrau ar fy swydd, roedd rownd gyn-derfynol pencampwriaeth y menywod. Mi fûm i'n sefyll yn y ciw am hydoedd cyn mynd i mewn a gweld Billy Jean King yn erbyn, ie, fy arwres, Chris Evert! A Chrissie yn ennill hefyd! *Icing* ar y gacen!

Lawr â fi ar y trên i Gaerdydd ar y Sul – wedi gweld ffeinal y dynion ar y teledu – fy arwr arall, Jimmy Connors, yn colli i Arthur Ash.

Roedd y cwestiynau dryslyd, di-ri, wedi cael eu hateb. Roeddwn i'n gwybod 'Ble nesa'. Atebwyd y cwestiwn mwya anodd hefyd, sef 'Pam y gwnes i dreulio blwyddyn yn y Central a drama mor amlwg yn *cul de sac* i mi fel gyrfa?'. Oherwydd mai dyna'r flwyddyn y gallwn ddweud am y tro cynta erioed, 'Rydw i wedi gadael cartre rŵan'. Do, mi fûm yng Nghaerfyrddin am dair blynedd ac mi fûm oddi cartre. Ond wnes i ddim gadael cartre drwy gydol y tair blynedd hynny. Dim ond yn Llundain y digwyddodd hynny.

Heb i mi drafod y peth o gwbl efo fy rhieni ar y pryd, deallais yn ddiweddarach bod Nhad wedi troi at Mam yn y cyfnod a dweud:

'Rydw i'n credu bod Arfon wedi gadael cartre rŵan…!'

Dw i'n dal ddim yn siŵr oedd yna ryw deimlad o ryddhad yn ei sylw ai peidio!

Mae'n eitha siŵr gen i na fuaswn i wedi cael swydd HTV heb y flwyddyn yn y Central. Roedd yr amser yn iawn. Heb yn wybod i mi hefyd, roedd yn amser da i ddechrau bod yn rhan o'r byd teledu. Roedd yn ddegawd llewyrchus i deledu masnachol ac o'm blaen, roedd yna gyfnod llewyrchus dros ben i HTV.

PENNOD 11

MEFUS A'R TOFFEES

OEDD, ROEDD YN RHAID trefnu popeth o gwmpas y tennis! Dw i wedi bod yn hoff o chwarae'r gêm ers dyddiau ysgol yn Aberystwyth, pan brynodd fy rhieni racet saith swllt a chwe cheiniog i mi o Woolworths. Aeth oriau lawer heibio wrth i mi fwrw'r bêl dennis yn erbyn wal y mans, 'nôl a blaen. Roeddwn i'n chwarae yn Ysgol Ardwyn ac ar bnawn Sadwrn hefyd, fel arfer efo Dafydd Raw-Rees. Yr hyn a'm symbylodd i ddal ati i geisio gwella a gwella fy nhennis oedd y rheol mai'r sawl fyddai'n colli, rhwng Dafydd a fi, oedd yn talu am y cwrt. Roeddwn i'n ddigon cystadleuol beth bynnag, ond roedd y posibilrwydd o orfod talu swllt ar ben colli yn ddigon i godi lefel fy nhennis yn sylweddol.

Erbyn hyn, dw i wedi troi yn fath o berson roeddwn i'n ei gasáu ar y cyrtiau hynny yn Aber. Dyna lle roeddwn i a'm racet 7 swllt a 6 cheiniog a pheli rhata Woolworths yn edrych yn ddilornus ar y dynion hynny a oedd yno efo'r wisg a'r offer gorau ond heb fawr o syniad sut i chwarae. Wel, dyna sut dw i rŵan!

Erbyn cyrraedd y Drindod, roedd yn hyfrydwch gweld bod fy llety yn Nhre Ioan yn ffinio â chwrt tennis y coleg. Mae o leia un gêm ar y cyrtiau hynny yn mynd i aros yn 'y nghof. Gêm dyblau. A fy mhartner? Barry John! Y Brenin wrth fy ochr. Hyd yn oed ar y cwrt tennis roedd yn wahanol i bawb arall. Roedd ganddo'r gallu i ddal y raced yn ei law dde i daro'r bêl *forehand*, ac yna trosglwyddo'r raced i'w law chwith i daro *forehand* efo'r llaw honno hefyd. Dydw i ddim wedi gweld neb yn gwneud y fath beth mewn gêm o dennis ers hynny.

Am ddwy flynedd chwaraewn i dîm tre Dinbych, pan oeddwn i'n athro ym Mrynford. Dyblau fel arfer eto, a Gwyn Lloyd-Jones yn bartner i mi. Ac, oedd, mi roedd y brechdanau ciwcymbr ac ati'n barod ar ein cyfer ar ddiwedd y gêm.

Roedd Gwyn yn chwaraewr tipyn gwell na fi ac mi gafodd wahoddiad i gymryd rhan yn nhwrnament proffesiynol Hoylake, sydd yn digwydd yn syth ar ôl Wimbledon. Ond, un flwyddyn, doedd o ddim yn gallu chwarae ac mi ofynnodd a fyddwn i'n barod i fynd yn ei le. Ffwrdd â fi felly a chael dechrau da, *bye* i'r ail rownd! Yn aros amdana i yn y fan honno roedd Premjit Lall, aelod o dîm Davies Cup yr India. Dafydd a Goliath go iawn. Collais 6:1 a 6:1! Mae'n siŵr iddo roi'r ddwy gêm a enillais i mi o drueni. Mi ddes oddi ar y cwrt wedi llwyr ymlâdd ac yn chwys domen. Doedd o ddim hyd yn oed wedi tynnu ei dracwisg!

Ond roedd yna gysur. Cyn y gêmau, roedd cyfle i gynhesu, a tharo'r bêl 'nôl a blaen dros y rhwyd efo gwahanol bobl. Yr un y tu draw i'r rhwyd i fi wrth i mi gynhesu oedd John Newcombe, a oedd newydd ennill yn Wimbledon yr wythnos cynt, a hynny am yr eildro. Cyn Jimmy Connors, fo oedd fy hoff chwaraewr a dyma fi rŵan yn cael cyfle i'w wynebu ar gwrt tennis. Ocê, cynhesu a tharo pêl 'nôl a blaen roedden ni, ond John Newcombe oedd yn fy wynebu!

Wedi i mi ddechrau gweithio i HTV, roedd tennis yn ffordd dda o gadw'n heini. Fedra i'n fy myw â mynd allan i jogio am nad ydw i'n gweld unrhyw bwynt mewn rhedeg o gwmpas y strydoedd yn ddibwrpas. Dechreuais chwarae i glwb tennis Caerdydd tra oeddwn yn HTV ac erbyn heddiw, rydw i'n chwarae yn Nghanolfan Tennis Cymru yng Nghaerdydd. O bryd i'w gilydd, rydw i hefyd yn chwarae yn erbyn Emlyn Jones, hyfforddwr tennis proffesiynol. Mae'n gyfle i gael gwersi wrth chwarae.

Tua dwy flynedd yn ôl, cefais gais gan rywun annisgwyl i chwarae tennis efo fo. Hywel Gwynfryn. Roedd am ddechrau chwarae'r gêm ac am i mi roi help iddo. Er gwaetha'r amheuon ar y cychwyn ynglŷn â pha mor o ddifri oedd o ynglŷn â chwarae, mi fuon ni'n chwarae tennis yn gyson am ryw bedwar mis. Daeth y cyfan i ben mor sydyn ag y dechreuodd ond dw i'n falch iawn o'r ffaith i Hywel nodi yn ei hunangofiant fod tri pheth ar ôl yr hoffai eu cyflawni yn ei fywyd, a bod curo Arfon mewn gêm o dennis yn un ohonyn nhw! Wn i ddim faint mae Hywel yn chwarae'r dyddiau hyn, ond os yw'n awyddus i wynebu'r her – rho wybod i mi, Hywel!

Ond, falle mai cariad at y bêl-droed ddaeth yn gyntaf. Bob bore Sadwrn yn yr ysgol gynradd yn Aber byddai gêm wedi ei threfnu. Byddwn yn chwarae gymaint ag oedd yn cael ei ganiatáu yn Ysgol Ardwyn hefyd – er na fyddai mor aml â hynny. Ar brydiau, bydden ni'n gorfod chwarae gan ddefnyddio pêl rygbi! Os mai un fantais o symud i Dreffynnon oedd bod yn agosach at Lerpwl a'r sîn roc a rôl, roedd yr un ddinas yn cynnig gêmau pêl-droed ar y lefel ucha. Dau dîm yn y prif gynghrair, Lerpwl ac Everton. Efallai mai Lerpwl roeddwn wedi eu cefnogi drwy'r rhan fwya o ddyddiau ysgol ond, a bod yn hollol onest – a dydi hyn ddim yn beth i'w gyfadde'n gyhoeddus, mewn gwirionedd – roeddwn i'n mynd i weld y ddau dîm yn aml. Un Sadwrn ar y bws i Goodison a'r Sadwrn arall ar y bws i Anfield. Er, mae'n rhaid dweud fy mod yn gallu enwi pob aelod o dimau Lerpwl yn y cyfnod heb drafferth ond yn cael ychydig mwy o drafferth enwi un ar ddeg cyntaf Everton.

Does gen i fawr o deimladau hoffus tuag at Man U, ond dw i wedi bod i Old Trafford i weld Lerpwl ac Everton yn chwarae yn eu herbyn. Y pleser pur o fynd yno'r adeg honno oedd gweld George Best yn chwarae. Mae digon o bobl wedi defnyddio amrywiaeth o ansoddeiriau ar hyd y degawdau i ddisgrifio'r dewin yma o Belfast, a'r cyfan alla i ddweud yw eu bod nhw i gyd yn wir.

Pan es i ddysgu ym Mrynford wedyn, roedd y dosbarth i gyd yn cefnogi Lerpwl. Felly, penderfynais gefnogi Everton er mwyn bod yn wahanol. Ac, ers hynny, canlyniadau Everton fydda i'n eu siecio gynta, cyn chwilio am rai Lerpwl.

Chwaraeais yn y Drindod i'r trydydd tîm ar adegau pan fydden nhw'n brin o chwaraewyr. Yn sicr, doedd y sgiliau ddim gen i ac mae'n siŵr fy mod yn rhy ddiog i chwarae i unrhyw dîm arall am nad oeddwn i'n hoff iawn o redeg 'nôl am y bêl drwy'r amser, dim ond aros amdani yn y tu blaen. Ond o leia roedd yna naws Gymraeg hyfryd i'r trydydd tîm, a oedd yn sicrhau nad oedd yr ochr gymdeithasol yn dioddef gormod.

Roedd un chwaraewr yn ein plith yn disgleirio'n fwy na neb yn y cyfnod hwnnw, myfyriwr o'r enw Dias. Mae'n sicr y byddai wedi gallu chwarae ar lefel broffesiynol, ond bu farw'n hynod o ifanc. Erbyn hyn, mae stand wedi ei henwi ar ei ôl ar gae pêl-droed Aberystwyth. Roedd balans ganddo, a'r gallu i redeg efo'r bêl yn well na neb yn y Coleg, a chefais y fraint a'r anrhydedd o chwarae yn yr un tîm ag o unwaith.

Yr uchafbwynt i mi'n bersonol, oedd sgorio *hat trick* a

hynny yn erbyn tîm Tregaron Turfs. Doedd hynny ddim yn digwydd yn aml, felly dw i'n cofio pob eiliad o'r tair gôl! Gyda'r gôl gyntaf, mi wnes daro'r bêl o'r asgell a doedd neb wedi mynd amdani, na'r gôl-geidwad chwaith, ac i mewn â hi i gefn y rhwyd. Roedd yr ail yn *deflection* a'r drydedd yn gic gosb a fwriodd y postyn a rholio dros y llinell yn ara deg. *Hat trick*! Mewn lle fel Tregaron roedd cyfle gwych i ddatblygu'r sgiliau cymdeithasol hynny – pei a pheint cyn y gêm! Wedi i mi gyflawni 'nghamp, cododd y dathlu i lefel uwch.

Dychmygwch y sioc felly, i un oedd yn ymhyfrydu mewn pêl-droed, pan ddeallais 'mod i'n dysgu chwaer un o chwaraewyr rhyngwladol Cymru. Cafodd Ron Davies ei eni yn Nhreffynnon, ac roedd ei chwaer Jeanette yn fy nosbarth. Roeddwn i'n gwybod yn iawn amdano wrth gwrs. Un o benwyr gorau'r bêl erioed o bosib. Fo oedd prif sgoriwr yr hen Gynghrair Gynta ddau dymor yn olynol ac enillodd 29 cap i Gymru.

Diolch byth i mi, roedd Ron yn gydwybodol fel brawd mawr i Jeanette hefyd ac yn dod i'r ysgol yn gyson. Dw i'n ei gofio fo'n dod unwaith wedi iddo fod yn chwarae yn erbyn Leeds. Wrth sgwrsio am y gêm, cododd ei grys a dangos a cleisiau du a glas di-ri ar ei gefn.

'Jackie Charlton oedd yn 'y marcio fi,' esboniodd.

Dyna'r cyfan oedd angen iddo ddweud. Ac, wrth gwrs, roedd yn ymuno mewn ambell gêm bêl-droed efo ni yn yr ysgol, a minnau fel arfer yn y gôl. Dw i ddim yn meddwl iddo sgorio goliau rhwyddach trwy gydol ei yrfa ddisglair. Gallaf ddweud hefyd, felly, i mi chwarae efo Ron Davies.

Wrth edrych y tu hwnt i'r bêl-droed, roedd y ddelwedd a greai Ron hefyd yn gwneud argraff. Dôi i'r ysgol mewn Jag mawr crand, sigâr yn ei geg ac yn gwisgo'r dillad gorau. Roedd ei *aura* fel pêl-droediwr proffesiynol yn amlwg. Felly, fel y gwnaeth ymweliad y Cwmni Theatr Genedlaethol ag Ysgol Glan Clwyd, fel y gwnaeth y daith o gwmpas stiwdio ffilm Elstree, roedd ymweliadau Ron Davies hefyd yn cynnig blas i mi o'r rhywbeth gwahanol hwnnw oedd ar gael.

Erbyn i mi gyrraedd HTV, braf oedd deall bod tîm yno hefyd. Roedden nhw'n ddyddiau da, a digon o arian gan ITV i'w wario ar gystadleuaeth rhwng y rhanbarthau trwy Brydain. Yr unig amod oedd bod yn rhaid i bawb yn y tîm fod yn gweithio i'r cwmni ar y pryd. Wel, yn gweithio i ni bryd hynny roedd Dafydd Hywel – fo oedd Caleb ar *Miri Mawr*, a Dewi Pws, yntau'n chwarae rhan Dyn Creu yn y gyfres. Creodd y ddau argraff bendant ar ranbarthau eraill ITV Prydain yn ddiddadl.

Cafodd DH ei anfon o'r cae yn ei gêm gynta yn erbyn Anglia, a hynny ar ôl pum munud am dacl rhy frwdfrydig. Mi gollon ni 11-1.

Cwmni teledu Thames oedd yn cynnal y gystadleuaeth, ac roedden nhw, chwarae teg, wedi paratoi llond jwg o gwrw ar gyfer ystafell newid bob tîm. Roedd ein jwg ni'n wag o fewn munudau i gyrraedd yno, felly, ffwrdd â Pws a DH i 'fenthyg' jygiau cwrw'r timau eraill. Roedd ein stafell newid yn llawn jygiau! Wedi'r gêm, a chredwch neu beidio, rhai o'r jygiau yn dal yn llawn, mi aethon ni o gwmpas y stafelloedd newid eraill yn gwahodd pawb 'nôl i'n stafell ni am ychydig o gwrw. Dyna lle'r oedd pawb yn canmol ein cwrteisi a'n haelioni ni'r Taffs – am rannu cwrw roedden ni wedi ei ddwyn oddi arnyn nhw yn y lle cynta!

Ond mi rodda i fy sylw ola ar fy ngallu ar y cae pêl-droed i'r gêm ola i mi ei chwarae. Gêm Sêr yr Urdd yn erbyn Clwb Ffermwyr Ifanc Castell Newydd Emlyn. Mae gen i gof clir o rywun yn pasio'r bêl i mi, a minnau'n ei phasio'n ddestlus i un o 'nghyd-chwaraewyr, gan deimlo'n eitha balch o gyffyrddiad mor dda. Ond yna, wedi'r hyn oedd yn teimlo fel rhai munudau'n ddiweddarach, dyma un o'r Ffermwyr Ifanc i mewn i 'nghefn i ac i lawr â fi fel sach o datws. Edrychais i fyny a gweld yr un a oedd yn gyfrifol yn edrych i lawr arna i a gwên yn llenwi ei wyneb.

'Smo ti mor fawr lawr fan'na, wyt ti!'

Un peth arall, mwy arwyddocaol, ynglŷn â'r gêm honno oedd cyfarfod â Ray Gravell. Yn amlwg, roeddwn i'n gwybod amdano cyn hynny, er nad ydw i'n berson sy'n dilyn rygbi. Doedd dim rhaid aros yn hir yn ei gwmni cyn gweld ei hiwmor a'i bersonoliaeth wresog. Yn yr un tîm â ni, roedd yr actor Dyfed Thomas. Actor penigamp a phêl-droediwr medrus iawn hefyd. Cafodd brawf efo tîm Crystal Palace ar un adeg. Ond, wedi i ni golli, a Dyfed yn eitha digalon am y peth, doedd dim dal Grav yn ôl.

'Crystal Palace, wedest ti? Ti'n siŵr? Ti'n siŵr mai dim yn Buckingham Palace fuest ti?'

Ryw ddeng mlynedd yn ddiweddarach, roedd yn anrhydedd dymuno *Penblwydd Hapus* i Ray Gravell. A'r cof sydd gen i wedi dros awr o raglen hynod o emosiynol oedd Ray yn troi ata i ac yn gofyn

'O'dd hwnna'n olreit? Ti'n siŵr? Ti moyn i ni neud e 'to?'

Ond, wrth gwrs, doedd dim sail i'w ansicrwydd. Wedi hynny, bob tro y byddwn yn ei weld, roedd wastad yn fy nghyfarch trwy ddweud:

'Arfon Heinz! Ware teg, so ti'n bad am gog!'

PENNOD 12

TOMATOS AC ESTHER FORD

FELLY, ROEDD ADDYSG A drama y tu cefn i mi. Roedd yn 1975 a minnau'n dechrau ar rywbeth newydd doedd gen i ddim syniad beth oedd o cyn mentro i'w ganol. Tybed sut brofiad fyddai o?

Ar y diwrnod cynta, trefnwyd cyfarfod â Phennaeth yr Adran Gyflwyno yn stiwdios HTV, Pontcanna. Gŵr bonheddig oedd Don Hill-Davies ac roeddwn i'n edrych ymlaen at y cyfarfod pwysig cynta hwnnw. Ond doeddwn i ddim yn disgwyl ei gael mewn Portakabin!

'O, paid â phoeni am hwn – dros dro y byddwn ni yma,' esboniodd Don, efallai wrth weld y siom ar fy wyneb. Roedd hynny yn 1975 a dyna oedd ei swyddfa dros dro tan 1990!

Roeddwn i gymryd fy lle ochr yn ochr ag aelodau eraill y tîm – Gwyn Parry a Margaret Pritchard, a oedd yn wynebau cyfarwydd iawn i mi cyn mynd yno, fel i bawb arall yng Nghymru, mae'n siŵr. Yn ddiweddarach, Dilwyn Young Jones, Jenny Ogwen, Sue Powell-Reed ac Eiry Palfrey. Hefyd, Ronw Protheroe a Terry Dyddgen Jones. Roeddwn wedi cyfarfod Terry cyn hynny am iddo fod yn rhan o gwmni Theatr Mewn Addysg Sir Fflint pan oedden ni'n actio gyda'n gilydd.

Roeddwn i'n disgwyl cyfnod o hyfforddiant gweddol drylwyr, ond buan y dysgais mai'r unig hyfforddiant fyddai cyflawni'r gwaith. Syml iawn oedd yr ardal gyflwyno hefyd. Desg i eistedd y tu ôl iddi. Camera o 'mlaen i, dau fonitor – un yn dangos eitemau a ddeuai i mewn o ffynonellau eraill a'r llall yn dangos yr hyn roedd HTV yn ei drosglwyddo ar yr awyr ar y pryd. Os oeddech chi i'ch gweld ar un, tra bo disgwyl i chi fod ar y llall, roedd rhywbeth mawr o'i le! Ar ben hynny, cloc anferth a fyddai'n rheoli pob dim, a hefyd, wrth gwrs, olau coch. Dyna ni. Stiwdio gyflwyno.

Ond, wedi i mi eistedd efo Perry Crawford, y gŵr roeddwn yn cymryd ei le, ar y diwrnod cynta, a gweld beth roedd yn rhaid ei wneud yn yr ardal syml honno, un frawddeg glywodd o 'mhen i drwy gydol yr amser roeddwn i yno:

'Alla i ddim gwneud hyn.'

Tiwn gron gyson. Falle mai 30 eiliad oedd ar y papur ar gyfer y bwlch rhwng dwy rhaglen, y 'junctions' fel y des i'w adnabod, ond gallai hynny olygu 21 eiliad neu 39 eiliad, 15 neu 50 eiliad. Yn gynta, roedd yn rhaid gwybod faint o fwlch fyddai yna ar ôl cael gwybod faint oedd hyd pob rhaglen, ac yna roedd yn rhaid penderfynu beth i'w ddweud yn y bylchau amrywiol hynny. Ac, wrth gwrs, yn ogystal, os oedd y rhaglenni'n fyw, doedd dim posib gwybod yn union faint fydden nhw'n para. Gallai un fod yn hirach a'r llall yn fyrrach na'r disgwyl. Ac wedyn, roedd yn rhaid gwbod digon am y rhaglenni er mwyn gallu siarad amdanyn nhw wrth eu cyflwyno. Roedd 'y mhen i'n dechrau troi a 'ngeiriau i'n hun wrth Catherine, fy chwaer, yn dod 'nôl i godi ofn arna i:

'Dw i ddim am eistedd yn fan 'na yn dweud wrth bobol "And next we have *Crossroads*" a "nesa mae *Yr Wythnos*..."

ac ati. Dw i ddim isho gwneud rhywbeth fel yna!'

Sori am feddwl yn y fath dermau!

Ar yr ail ddiwrnod, ar ôl cael y wybodaeth, roedd geiriau Perry Crawford yn ddigon i fy syfrdanu.

'Cystal i ti ddechrau heddiw – mae gen i gyfarfod yn y dre.'

Roedd yn rhaid ufuddhau gan y byddai gwrthod wedi rhoi pob math o negeseuon anghywir i'r cyflogwyr. Felly, ffwrdd â fi. Ar ôl llenwi'r bwlch cynta, mi droais at y Cyfarwyddwr Cyhoeddi, John Treharne, a holi:

'Oedd hwnna'n iawn? O'dd o'n ocê?'

Roeddwn i rhwng *Farmhouse Kitchen* a *Hamdden*, dw i'n credu. Daeth neges o'r galeri y tu draw i'r gwydr yn tynnu'n sylw at y ffaith bod y golau coch yn dal ymlaen a doeddwn i ddim wedi cau'r microffon. Oedd Cymru gyfan wedi clywed fy mharablu cyffrous, trwsgwl, ar ôl fy narllediad cynta? Oedd y penaethiaid?

'Paid â phoeni,' meddai'r llais y tu draw i'r gwydr. 'Mae modd i ni reoli'r meic o'r ochr 'ma, ond paid byth â chymryd hynny'n ganiataol. Falle y byddwn ni'n gwneud rhywbeth arall ar y pryd. Lwcus i ni sylwi'r tro yma.'

Y wers gyntaf, a gwers bwysig iawn hefyd.

Roedd camgymeriadau eraill i ddilyn yn ystod y dyddiau cynta. Trodd *Armchair Theatre* yn 'Armchair Playhouse' ac yn lle gadael hynny yn y fan a'r lle, sgrechais ar yr awyr gan ddangos i mi wneud camgymeriad. Petai llyfr cyfarwyddiadau ar gael, dw i'n sicr na fyddai hynny yn un o'r canllawiau!

Roeddwn i'n pryderu bod Cymru gyfan yn clywed fy nghamgymeriadau. Ond y gwir amdani oedd nad oedd Cymru gyfan yn derbyn HTV yn y dyddiau hynny, ac yn waeth na hynny, doedd Mam a Dad ddim. Dw i'n cofio meddwl, 'Dan ni'n gallu cael dyn ar y lleuad, ond dydyn nhw ddim yn gallu gwylio HTV yn Hen Golwyn!'.

Doedd hi ddim yn bosibl iddyn nhw dderbyn HTV ac felly doedden nhw ddim yn gallu gwylio dechrau gyrfa'u mab ar y teledu. Er mwyn iddyn nhw allu gwneud hynny, trefnais efo dyn erial lleol i gael erial arbennig. Wedi hynny, roedd y mans yn edrych mwy fel Alexander Palace, a'r mast enfawr yn codi i'r ffurfafen uwch ben y tŷ.

Dyna'r dyddiau pan oedd rhaglenni gorsafoedd masnachol Lloegr yn arllwys i mewn i Gymru. Yn y gogledd, Granada oedd yn teyrnasu, a'u rhaglenni nhw'n cyrraedd draw hyd at Landudno, a *Granada Reports,* Bob Greaves, yn fwy cyffredin ar hyd trefi a phentrefi'r gogledd nag adroddiadau'r *Dydd* a *Report Wales*.

Yn y de, roedd pobl Casnewydd a Chaerdydd yn dewis cyfeirio eu herials at fastiau de orllewin Lloegr a, thrwy hynny, yn derbyn HTV West yn lle HTV Cymru. Doeddwn i ddim, a dydw i ddim, yn deall pam bod y bobl hyn am weld newyddion Cirencester, Bryste a Weston Super Mare yn hytrach na newyddion Casnewydd, Caerdydd a Phen-y-bont. I beth? Y stori orau am hyn yw'r un am Bennaeth HTV ar y pryd, Huw Davies, yn cael teledu newydd a'r peiriannwr wedi gorffen y gwaith o osod yr erial, yn paratoi i ffarwelio.

'Na, na,' meddai Huw Davies. 'Allwch chi ddim mynd eto. Dydw i ddim yn gallu derbyn HTV Cymru – dyw pethe ddim yn iawn.'

'O, dyna ma pawb arall yn 'i gael rownd ffordd hyn. 'Na beth ry'n ni'n neud i bawb, troi at West, sneb yn gofyn am HTV Cymru.'

Bu'n rhaid i Huw Davies esbonio pwy oedd o a pham roedd o am gael HTV Cymru ac nid y gwasanaeth a wasanaethai dde orllewin Lloegr. Rhyfedd bod pobl y de-ddwyrain yn gorfod gofyn am wasanaeth HTV Cymru yn eu gwlad eu hunain. Roedd hynny'n wahanol iawn i ardaloedd y gogledd lle nad oedd modd ei dderbyn.

Droeon yn y dyddiau hynny, mi fyddwn i'n derbyn yr un cyfarchiad cyson gan bobl ar y stryd:

'Oh, we watch you in bed!'

Bu'n rhaid oedi ac ystyried beth roedd y fath ymadrodd yn ei olygu ar y cychwyn, ond mi ddes i ddeall eu bod yn edrych ar HTV Cymru ar y set fach yn y stafell wely, heb erial, er bod y set fwya i lawr y grisiau yn derbyn HTV West.

Ar sail y rhaglenni roeddwn i'n bersonol wedi eu gweld cyn dechrau gweithio, roedd rhai wynebau'n ddigon cyfarwydd i mi pan gerddais trwy ddrysau stiwdio Pontcanna. Gwyn Erfyl, Gwyn Llewelyn, Gwilym Owen a Cenwyn Edwards, i enwi'r rhai amlyca. Roedd eu gweld ar hyd coridorau'r gwaith bob dydd yn dipyn o waw ffactor heb os.

Roedd y profiad o fynd i'r stafell goluro'n cynnig yr un waw ffactor i mi'n bersonol, fel roedd cael sylw'r adran wardrob wrth iddyn nhw wneud yn siŵr bod popeth yn matsio'n gywir. Roeddwn i'n cael 'y nhrin yn arbennig o dda.

Yn yr ystafell golur hefyd y dôi'r cyfle cynta'n aml i gyfarfod â phobl adnabyddus, a dyna lle gwnes i gyfarfod â Gwynfor Evans. Roedd yn y stiwdio ar gyfer rhaglen *Yr Wythnos* ac roedd o a Gwilym Owen yn yr ystafell golur yr un pryd. Trodd Gwilym at Gwynfor a 'nghyflwyno i iddo gan ddweud 'mod i'n un o gyflwynwyr newydd y cwmni.

Rŵan, i mi, roedd Gwynfor yn sawl peth. Wedi i mi fod yn y Drindod ers 1966, roeddwn i'n gwybod amdano fel

Aelod Seneddol cynta Plaid Cymru yng Nghaerfyrddin. Ond nid dyna'r tro cyntaf i mi glywed yr enw, Gwynfor Evans. Pan oeddwn i'n blentyn yn byw yn Llandeilo byddai Mam yn cyfeirio byth a beunydd at y dyn yma o'r enw Gwynfor Evans a oedd yn tyfu'r tomatos gorau yn yr ardal.

Pan drodd Gwilym Owen ata i, felly, gan gyflwyno Gwynfor Evans i mi, dim ond un ymateb oedd yn mynd i ddod oddi wrtha i:

'Sut ma'r tomatos eleni, Mr Evans?'

'O, iawn ar y cyfan, diolch.'

A dyna fu. Tan i mi weld Gwilym Owen yn hwyrach y diwrnod hwnnw. Mi ddaeth ata i'n bytheirio a'i ffroenau'n chwythu'n fygythiol:

'Rhag dy gywilydd di, Arfon – un o wleidyddion amlyca Cymru efo ni fan hyn a ti'n gofyn iddo fo sut roedd ei domatos o. Mae'r peth yn warthus!'

Rai wythnosau wedi hynny, roeddwn i yng Nghlwb HTV ym Mhontcanna a Gwilym Owen yno hefyd. Trodd y sgwrs at fy mherfformiadau darlledu, a gofynnais iddo sut roeddwn i'n gwneud. Ymateb swrth Gwilym oedd:

'Cadwa dy hun allan o drwbwl ac mi fyddi di'n iawn.'

Dw i'n cymryd mai cyfeirio at y tomatos roedd y gair 'trwbwl'. Ond ymhen peth amser, er gwaetha hynny, mi ges gyfle i gyflwyno ambell eitem newyddion ar *Y Dydd*. Mae gen i barch at holwyr fel Gwilym Owen sy'n llym ond eto'n deg, yn gwrthod gadael i bobl ddianc drwy roi atebion arwynebol a chamarweiniol.

Gan 'mod i bellach yn gweithio yng Nghaerdydd, roedd yn rhaid cael rhywle i fyw. Cysylltiadau ddaeth i'r adwy unwaith eto. Roedd Richard Elfyn Jones yn darlithio yng Nghaerdydd ond, yn bwysicach fyth, yn dod o Fae Colwyn, a'i dad yn weinidog ac wedi byw yn y mans lle roedd fy rhieni'n byw ar y pryd. Roedd ganddo dŷ ym Mhenylan a dyna lle bûm i'n byw am ryw ddwy i dair blynedd. Yr hyn a ddaeth â'r trefniant i ben oedd priodas Richard. Doedd cael *lodger* fel fi ddim yn ddelfrydol iddo fo a'i wraig ar ddechrau eu bywyd priodasol.

Ond mi wnes i elwa'n sylweddol o'r newid trefniadau. Yn y lle cynta, gorfododd hynny fi i brynu fy nhŷ cynta. Tŷ teras ym Mhenylan, Caerdydd. Ond roedd angen, mewn gwirionedd, i mi ddod o hyd i rywrai i rannu'r baich ariannol efo fi. Roedd angen *lodgers*. Trwy Richard, roeddwn wedi cyfarfod â rhai o ffrindiau ei wraig a chyn pen dim, roedd dwy ohonyn nhw'n byw yn fy nhŷ. Dwy nyrs. Roedd y bois i gyd mor genfigennus.

Roeddwn i'n dechrau setlo yn y ddinas fawr, ac yn dechrau setlo yn nheyrnas fawr HTV hefyd. Y tro cynta i mi fentro i glwb enwog HTV Pontcanna, roeddwn i'n teimlo'n eitha chwithig a dieithr. Dyna lle roeddwn i'n sefyll mor amlwg ar fy mhen fy hun ac yn adnabod neb. Daeth rhywun ataf, dieithryn llwyr, a chyflwyno'i hun fel Terry Humphreys, un o'r dynion camera. Daeth ata i am 'mod i'n edrych fel bachgen newydd nad oedd yn nabod neb. Gweithiais efo fo am flynyddoedd lawer wedyn, ac arhosodd ei ymdrech i wneud i mi deimlo'n gartrefol yn y clwb yn y cof.

Yn yr adran dechnegol, roedd nifer fawr o'r dynion o gefndir milwrol. RAF gan fwya. Doedden nhw, ar y cyfan, ddim yn siarad Cymraeg.

'You know, don't you, because you speak Welsh, you'll be on the Esther Ford Show?' oedd sylw un o'r technegwyr wrtha i yn y dyddiau cynnar.

Doeddwn i ddim am ddangos anwybodaeth am

raglenni fy nghyflogwyr newydd, ond doeddwn i erioed wedi gweld na chlywed am yr Esther Ford Show. Roedd fy anwybodaeth yn amlwg ar fy wyneb.

'Yes, you know about it. It's on every first week of August!'

Gwawriodd arna i o'r diwedd. Yr Eisteddfod! Dyna beth oedd yr Esther Ford Show. A dyna ddysgu am y tro cynta bod gan y technegwyr di-Gymraeg eu henwau eu hunain ar y rhaglenni Cymraeg. Roedd y rhan fywa ohonyn nhw'n enwau digon lliwgar, anodd eu hailhadrodd. Alla i ddim dechrau esbonio beth oedd eu henw ar y rhaglen *Fyny Fanna*!

Os oedd hynny'n rhywbeth newydd i ddygymod ag o, roedd undebaeth y byd teledu yn sicr yn rhywbeth arall i geisio'i ddeall. Pan gyrhaeddais HTV, roedd rhan helaeth o'r eitemau ar ffilm. Roedd hynny'n golygu bod angen cyfnod o ryw bump i ddeng eiliad cyn bod y ffilm yn barod i'w darlledu. Ond, roedd technoleg newydd ar y pryd yn arbrofi â pheiriannau a allai chwarae eitem neu hysbyseb ar ei hunion. Roedd hyn yn newid syfrdanol a olygai ei bod yn haws o lawer i ni gynnwys eitemau yn ein pecynnau.

Cyn hir, rhoddwyd y peiriant newydd yn ein stiwdio i'n galluogi i wneud hynny. Peiriant ACR oedd ei enw ac mi ddechreuwyd ei ddefnyddio ar gyfer rhai o'r hysbysebion. Pan fyddwn yn gorffen fy nghyflwyniad, felly, roedd yr hysbyseb berthnasol yn barod i'w chwarae ar ei hunion.

Fe'm syfrdanwyd gydag ymateb yr undebau i hyn. Roedd yn dechnoleg newydd, yn sgil newydd a oedd felly'n gofyn am godiad cyflog cyn eu bod yn fodlon ei ddefnyddio. Doeddwn i ddim yn coelio'r peth. Pan oeddwn i'n athro ym Mrynford, roedd yr ysgol wedi bod yn cynilo arian er mwyn prynu taflunydd. Pan gyrhaeddodd yn y diwedd, doedd dim un aelod o'r staff wedi breuddwydio gofyn am godiad cyflog cyn ein bod yn fodlon defnyddio'r dechnoleg newydd. Roedd yn rhyfedd felly clywed y fath siarad gan y technegwyr.

Pan oeddwn yn cyflwyno mewn stiwdio un tro, clywais y cyfarwyddwr yn dweud bod angen symud fy nghadair ychydig i'r chwith. Mi es at i wneud hynny a dyma un o'r *riggers* yn neidio ata i a dweud mai ei waith o oedd hynny a sut baswn i'n licio petai o'n mynd ati i gyflwyno'r rhaglenni.

Yr ymadrodd ar y pryd, pan fyddai unrhyw anghydfod yn ymwneud â'r technegwyr oedd, 'OK, on the lawn!' ac allan â phawb i'r lawnt o flaen y stiwdio tra byddai'r anghydfod yn cael ei ddatrys. Dw i'n cofio cyflwyno un o raglenni *Report Wales* o'r maes parcio un tro, gan fod rhyw anghydfod yn ein rhwystro rhag defnyddio'r stiwdio.

Dyma'r dynion oedd yn ddigon parod i ddod ata i a dweud:

'Rwyt ti wedi colli'r blynyddoedd aur, Arfon – ma'r rheini wedi mynd.'

Roedden nhw'n cyfeirio at y chwedegau fel y dyddiau gorau. Newydd ddechrau oeddwn i ac roedd y rhain yn gwneud i mi ddechrau meddwl 'mod i wedi colli'r dyddiau euraidd yn barod. Diolch byth, fe sylweddolais yn ddigon cyflym fod 'na ddyddiau euraidd eraill i ddod yn ogystal.

Yn 1979, siglwyd HTV gan streic technegwyr oherwydd anghydfod cyflog. Roedd yn gyfnod anodd ac yn galed i'r gweithwyr hynny y bu'n rhaid iddynt fynd heb gyflog am gyfnod hir. Roedd pobl a fu'n cynhyrchu rhaglenni gorau'r cyfnod yn sydyn iawn yn gorfod ennill bywoliaeth trwy werthu bara, neu weithio ar fferm, i enwi dim ond dwy enghraifft o'r hyn bu'n rhaid i ffrindiau ei wneud.

Mi es i'n ôl i Fae Colwyn am dri mis. Roeddwn ar gytundeb 12 mis, ac nid ar y staff. Felly, roedd yn rhaid i'r cwmni dalu i mi, doed a ddelo, gan nad fy mai i oedd y ffaith na allwn weithio. Yn ôl â fi i Fae Colwyn, felly. Ar y pryd, roeddwn yn gyfeillgar iawn efo Mickey Thomas, y chwaraewr pêl-droed rhyngwladol. Roedd yr haf hwnnw'n gyfle gwych i fi a Mickey fwynhau cwmni'n gilydd. Mi es efo fo droeon i weld Man U yn chwarae, ac yn ymarfer hyd yn oed. Tipyn o brofiad, mae'n rhaid cyfaddef, hyd yn oed i gefnogwr Everton!

Ac eithro wynebu agwedd negyddol fel hyn adeg y streic, bu gweithio yn HTV yn brofiad hynod o hapus, nid yn unig o safbwynt y cydweithwyr yn adran gyflwyno'r cwmni, ond o safbwynt y Bwrdd hefyd.

Braf iawn oedd cael Bwrdd Cymreig i HTV. Pobl oedd yn gwylio'r rhaglenni'n gyson ac yn rhoi adborth arnyn nhw hefyd. Er nad oedd yr adborth hwnnw'n ganmoliaethus bob tro, roedd yn adeiladol ac yn dod o enau pobl y teimlwn eu bod o'n plaid. Pobl fel Alun Edwards, Wynford Vaughan Thomas a Lady Amy Parry-Williams. Roedd eu gweld ar y coridor yn beth calonogol yn y lle cyntaf, gan roi'r argraff eu bod yn bobl a oedd yn cymryd diddordeb, yn hytrach na chadw hyd braich. Wrth sgwrsio efo nhw, roedd yn galondid eu clywed yn cyfeirio at raglenni roedden nhw'n amlwg wedi eu gwylio fel rhan o'u bywyd bob dydd, yn hytrach nag fel rhan o'r broses o werthuso rhaglenni ar gyfer y Bwrdd. Roedd hyn yn wir yn ystod holl gyfnod bodolaeth y Bwrdd. Cyfnod Elinor Bennett, Idwal Symonds a Gerald Davies. Ac, wrth gwrs, Syr Geraint Evans.

Doeddwn i erioed wedi bod yn berson opera. Ond wyneb yn wyneb â Syr Geraint, gwyddwn fy mod ym mhresenoldeb rhywun arbennig. Pan fyddwn yn eistedd efo fo yn yr ystafell golur, roeddwn ym mhresenoldeb rhywun direidus tu hwnt a'r banter bywiog yn llifo'n ddi-baid.

Dw i wrth fy modd â'r stori amdano yn Covent Garden, a'r person y tu cefn i'r llwyfan yn cyfeirio ato fel Syr Geraint Evans drwy'r amser. Erbyn y diwedd, roedd wedi cael digon ar y ffurfioldeb. Trodd at y dyn a dweud:

'Dyna ddigon ar y Syr Geraint Evans 'ma. Mae Syr Geraint yn hen ddigon!'

Ar y Bwrdd hefyd roedd yr athrylith Wynford Vaughan Thomas, a'i adroddiadau o frwydrau'r Ail Ryfel Byd yn rhan o hanes darlledu'r ganrif ddiwethaf. Ac yna roedd John Morgan. Cofiwn ei adroddiadau arbennig yntau i'r rhaglen *Panorama* ar frwydrau gwaedlyd Vietnam. Heb amheuaeth, un o ddarlledwyr gorau a mwyaf proffesiynol ei gyfnod.

Roedd crwydro'r coridorau a dod ar draws pobl fel hyn yn ysbrydoliaeth ynddo'i hun. Roedd siarad â nhw, a deall eu bod wedi gwylio rhywbeth roeddwn i wedi ei gyflwyno, ac yn barod i wneud sylw ar fy ngwaith, yn rhywbeth na sylweddolwn ei werth ar y pryd. Ond mi rydw i rŵan.

Wrth gerdded y coridorau un tro, mi ges *flashback* go iawn. Un o benaethiaid peirianyddol HTV ar y pryd oedd gŵr o'r enw Mike Towers. Roeddwn wedi bod yn HTV am ryw dair blynedd, ac un prynhawn, mi glywais ei lais yn ddigon clir:

'You still here, Haines Davies?'

Beth allwn i wneud o'r fath gyfarchiad? Yr enw'n gynta. Roeddwn i'n ôl yn Ysgol Ardwyn. 'That Haines Davies boy!' Wedyn, beth oedd ystyr y cwestiwn? Doedd neb wedi sylwi 'mod i'n dal yno wedi tair blynedd? A rŵan eu bod nhw wedi sylwi, beth fyddai goblygiadau hynny? 'Ma'r bachgen Haines Davies yna'n dal yma. Oeddech chi'n gwybod? Beth wnawn ni ynglŷn â hynny?'

Dyma elfen a fu'n amlwg drwy gydol fy ngyrfa, rhyw ansicrwydd ynglŷn â sut roeddwn yn datblygu yn fy ngwaith ac agwedd fy rheolwyr at fy ngwaith. Bu'n rhaid i mi weithio ar y rhagdybiaeth os na chlywn ganddyn nhw, yna rhaid 'mod i'n gwneud fy ngwaith yn iawn.

Diolch byth, mi ddaeth yr ochr dechnegol ac amseru fy ngwaith dipyn yn haws wrth i'r wythnosau fynd rhagddynt. Roedd mwy o gyfle wedyn i ganolbwyntio ar y sgriptiau, y geiriau a lefarwn rhwng y rhaglenni. Nid bod hynny wedi gweithio'n hwylus bob tro chwaith. Roedd ffilm eitha dramatig newydd gael ei darlledu a theimlwn fod angen pellhau'r gwylwyr oddi wrth y cyffro a'r tensiwn hwnnw cyn mynd at y rhaglen nesaf. Felly, dyma roi cynnig arni:

'After all that, I'm sure you'll be glad to return to the peace and tranquility of *Emmerdale*, here on HTV Wales.'

Am nad oeddwn wedi darllen y nodiadau, sylweddolais i ddim mai dyna'r bennod o *Emmerdale* pan ffrwydrodd awyren yn y pentre gan ladd llwyth o bobl!

Roedd disgwyl i ni wylio cymaint o'r rhaglenni y bydden ni'n eu cyflwyno ag oedd bosib. Yn syml, er mwyn osgoi'r math o gamgymeriad a wnes i wrth gyflwyno'r bennod arbennig honno o *Emmerdale*.

Ond doedd hynny, hyd yn oed, ddim yn sicrhau perfformiad dilychwin. Rwy'n sôn am y cyfnod pan fyddai'n rhaid i ni wneud yr hysbysebion lleol yn fyw. Os ydych yn cofio'r sloganau fel, 'The matching's unique at HG Meek', roedd y rheini'n fyw.

Felly, roedd pwysau arnon ni gyflwynwyr. Pe bydden

ni'n gwneud camgymeriad, yna byddai'n rhaid i HTV roi hysbyseb arall i'r cwmni yn rhad ac am ddim. Profodd un gair, mewn un hysbyseb, yn broblem gostus i mi. Hysbyseb ar gyfer Gerddi Bodnant ydoedd, ac roedd, yn anffodus i mi, yn cynnwys cyfeiriad at y rhododendron. Beth aeth allan ar yr awyr oedd:

'Rhodo… Rhodo… Rhodo… Flowers in full bloom!'

PENNOD 13

Y WASG A'R HEDDLU

UN PETH ROEDD YN rhaid dygymod ag o yn fy swydd newydd oedd sylw. A minnau'n gweithio yn yr Adran Gyflwyno, a chyflwyno'r cyfnod hwnnw'n fyw ar deledu, roedd cyfle felly i bawb fy ngweld. Roedd yn newid byd i mi, o'i gymharu â'r cyfnod cyn hynny pan nad oedd neb yn fy adnabod. Mi ddois yn wyneb cyfarwydd dros nos, un o wynebau yr orsaf deledu. Y gred y pryd hwnnw, pan nad oedd ond tair sianel deledu a chyn dyddiau'r *remote control*, oedd pe baem yn llwyddo i ddal y gynulleidfa wrth i'r gwasanaeth agor am chwech o'r gloch gyda'r nos, yna bydden nhw efo ni tan *News at Ten*.

Byddai digon o amser gennym ni i geisio dal y gwylwyr trwy gydol y dydd. Er enghraifft, ar ôl *News at One*, roedd tri munud o fwletin newyddion lleol Saesneg ac yna tri munud o fwletin Cymraeg. Wedi ychwanegu'r 'lincs' at y rheini, yna roedd yn saith munud o ddarlledu byw ar y teledu a'r cyflwynydd yn fyw ar y sgrin. Roedd yr un peth yn wir wedi *News at Ten*, efo pobl fel Reginald Bosanquet yn ei ddarllen yn y cyfnod hwnnw. Yna, os oedd bwlch rhwng y rhaglen cynt a'r newyddion, byddai'n rhaid i'r cyflwynydd ei lenwi.

Roedd yn anochel ein bod yn dod yn wynebau cyfarwydd wrth ymddangos cyn rhaglenni megis *Coronation Street, Emmerdale* a *Crossroads*. Gwelais effaith hynny pan es i'r sinema yng nghanol Caerdydd un prynhawn. Wrth fynd i dalu, dywedodd y person tu 'nôl i'r cownter wrtha i, 'Na, popeth yn iawn, does dim rhaid i chi dalu!' Doeddwn i ddim yn coelio'r peth. Âi â fi 'nôl i ddyddiau Llandeilo pan nad oedd yn rhaid i mi dalu am felysion yn y siop ar y gornel ac i Aber pan nad oeddwn i'n cofio gorfod talu am hufen iâ am 'mod i'n fab i weinidog. Yn awr, doedd dim angen talu oherwydd y gwaith roeddwn i fy hun yn ei wneud.

Daeth y diwrnod pan fu'n rhaid cael lluniau cyhoeddusrwydd. Diwrnod poenus i mi. Ar hyd fy oes, rydw i wedi casáu cael tynnu fy llun ac mi fyddaf yn tynnu stumiau rhyfedd yn amlach na pheidio er mwyn cuddio'r teimlad o letchwithdod ac embaras. Ond roedd angen llun rŵan i'w anfon i'r wasg trwy Gymru a thynnu sylw at gyflwynydd newydd HTV.

Doeddwn i ddim yn gweld diben gwisgo siwt ar gyfer y fath lun, felly, mewn ymgais at fod yn cŵl, gwisgais grys *cheesecloth* a jîns. Roedd botymau'r crys ar agor hyd at yr hanner ffordd, a chadwyn arian o gwmpas fy ngwddf a seren yn disgleirio arni. Gan fod yn rhaid imi gael tynnu fy llun, ceisiais greu delwedd benodol ar ei gyfer.

Mae'r holl syniad ohona i'n cŵl yn destun gwawd i Catrin erbyn heddiw. Os ydi'r pwnc yn codi'i ben o gwbl, un o ddau ateb y bydda i'n eu cael:

'Fyddi di byth yn cŵl 'sa ti'n aros mewn rhewgell am fis!'

'Os wyt ti'n gorfod gofyn wyt ti'n cŵl, dwyt ti ddim!'

Wel, mi geisiwn fod yn y dyddiau hynny. Wrth orfod meddwl am ddelwedd yn fwy nag y bu'n rhaid i unrhyw athro ysgol gynradd ei wneud erioed, doedd ystyried fy hun yn gyflwynydd teledu ddim yn rhan o'r ddelwedd honno. Doeddwn i ddim mewn stiwdio deledu go iawn wrth wneud y gwaith *continuity*. Darllen roeddwn yn ei wneud ond heb hawl i gyfrannu at y sgript na'i newid chwaith. Hefyd, pan awn am baned i'r cantîn a cherdded y coridorau, gwelwn bobl roeddwn yn eu hedmygu'n fawr iawn ac yn eu hystyried yn gyflwynwyr neu'n actorion o fri.

Bu dau berson, serch hynny, yn ddylanwad mawr arna i yn y cyfnod cynnar. Dw i ddim yn credu i mi weld Eurwen Davies yn gwneud yr un camgymeriad wrth ddarllen newyddion neu gyflwyno rhaglenni a byddai ei hamseru'n berffaith bob amser. Roedd yn eithriadol o broffesiynol. Hi oedd y safon i'r gweddill ohonon ni anelu i'w gyrraedd, er na wnaeth hi erioed osod ei hun ar y fath bedastal.

Y llall oedd Dewi Bebb. Cyn-arwr ar y cae rygbi i glwb Abertawe, Cymru a'r Llewod. Bu'n gapten ar ei glwb, cafodd 34 cap i'w wlad gan sgorio 11 cais a chwaraeodd mewn wyth gêm brawf ar ddwy daith i'r Llewod. Hefyd, wrth gwrs, roedd yn gyn-fyfyriwr yng Ngholeg y Drindod.

Dw i'n cofio clywed sôn cyson amdano gan Norah Isaac a fyddai wrth ei bodd yn adrodd straeon am y cyn-fyfyriwr disglair. Roedd Dewi yn un enghraifft arbennig o gyfraniad Coleg y Drindod i'r cyfryngau Cymraeg sy'n parhau hyd heddiw.

Roedd Dewi yn ŵr bonheddig, ac fel y dywedwyd yn ei angladd yn 1996, pe na bai'r term 'gŵr bonheddig' yn bodoli, byddai'n rhaid ei fathu i gyfeirio at Dewi.

Pan gyrhaeddais HTV roedd yn cyflwyno *Sports Arena* a rhaglenni tebyg, wedi iddo ddechrau ar *Y Dydd*. Aeth wedyn i gyfarwyddo a doedd dim sôn amdano'n mynd i banig nac yn cynhyrfu hyd yn oed. Cyflwynais gyfres o

Di Ben Draw ar y cyd efo Elin Rhys – rhaglen wyddonol, a Dewi oedd y cyfarwyddwr. Proffesiynol i'r eitha a'i holl agwedd a'i osgo'n ysbrydoliaeth.

Daeth cyfle i'w adnabod y tu allan i'r gwaith hefyd. Âi criw ohonon ni o HTV ar deithiau rygbi efo'n gilydd. Ffrainc oedd y prif daith, gan fod gennym ni ddealltwriaeth â chwmni teledu yno i gyfnewid teithiau. Ar un trip i Baris, roedd un o'n plith wedi penderfynu ar y dydd Gwener mai da o beth fyddai prynu iâr fyw! Roedd yr iâr efo ni drwy nos Wener wrth fynd o amgylch y lleoedd i yfed ym Mharis, yna, yn yr ystafell wely, ac efo ni i frecwast, yn y gêm, a thrwy nos Sadwrn allan yn y ddinas hefyd. Fore Sul, deffrodd perchennog yr iâr a gweld ei bod wedi diflannu. Wel, roedd wedi ypsetio!

I wneud pethau'n waeth, mi aeth rhai o'r bois wedyn i esgus chwilio amdani, gan fynd 'nôl i'r farchnad a phrynu iâr arall, ond un wedi marw y tro hwn a'i phlu yn dal arni. 'Nol â nhw i'r gwesty a dweud iddyn nhw ddod o hyd i'r iâr, ond bod bws wedi ei tharo a'i lladd. Doedd dim cysuro ar y perchennog gan mor hoff roedd o wedi dod o'i iâr ar drip rygbi!

Beth bynnag, 'nôl at Dewi Bebb. Ar un o'r tripiau hyn, draw i Ddulyn y tro hwn, roedd y parch at Dewi'n amlwg.

'I know you,' meddai Gwyddel mewn tafarn. ' You are Dewi Bebb!'

Ac ymlaen ag o i frolio llwyddiannau Dewi – y cyfan yn embaras mawr iddo yntau, gan nad oedd yn gyfforddus o gwbl â'r fath frolio.

Yn rhyfedd iawn, wedi'r sgwrs, trodd ata i a dweud, 'I know you too!'

Sut roedd hwn yn fy nabod i, tybed? Mae'n siŵr ei fod

yn gwneud ei orau i fod yn gwrtais.

'I don't understand a word you say, but I watch the programme you do with pop groups on Thursday!'

Roedd yn gwylio *Seren Wib* bob wythnos ac yn gallu enwi'r bandiau Cymraeg roedd yn eu mwynhau. Rhyfedd o fyd ac ystyried na allai fy rhieni fy ngwylio ym Mae Colwyn ac yntau'n gallu yn Iwerddon!

Wedi i'r llun cyhoeddusrwydd gael ei ddosbarthu, cefais sylw gan y wasg. Mi wnes gyfweliad ar gyfer erthygl nodwedd efo'r *South Wales Echo* gan ddweud wrth y gohebydd lle roeddwn i wedi bod yn astudio, beth wnes i wedyn a beth oedd fy niddordebau.

Ymddangosodd y darn yn y papur, ac mi gyhoeddwyd i mi raddio o Trinity College, Cambridge, yn hytrach na chael tystysgrif athro yng Ngholeg y Drindod, Caerfyrddin. Yna, imi dreulio cyfnod fel chwaraewr tennis proffesiynol – yn hytrach na 'mod i'n chwarae tennis yn gyson yn fy amser hamdden! Gwers gynnar oedd yn dangos nad yw'r wasg yn cael pob dim yn iawn ar bob achlysur!

Ond roedd y cyfnod cynnar hwnnw'n gyfle euraidd i fentro. Doedd arbenigedd ddim yn bodoli fel mae erbyn hyn. Roeddwn i'n cyflwyno rhaglenni mor amrywiol â *Horse of The Year Show,* darts, cerddoriaeth glasurol, cwis diogelwch ffordd, a roc a rôl o Butlins yn y Barri. Does dim cymaint o amrywiaeth heddiw i gyflwynwyr ifanc, felly does mo'r cyfle i fethu â chael siawns i roi o'u gorau yn y rhaglen nesa. Does dim cyfle i fethu heddiw.

Doeddwn i ddim yn ymwybodol o arwyddocâd ffigyrau gwylio o gwbl tan tua dechrau'r nawdegau. Yn y cyfnod cynnar roedd y system yn hawdd. Os oedd Aled Vaughan, y Pennaeth Rhaglenni, yn hoff o raglen neu gyfres, yna mi fyddai cyfres arall yn cael ei chomisiynu. Doedd dim sôn am 'demographics' nac 'audience share' ac ati. I gyflwynwyr heddiw, mae'n fater syml o 'os nad ydyw'n gweithio'r tro cynta, wel, dyna ddiwedd arni'.

Yn y cyfnod cynnar, roeddwn i'n ddyn yn ei ugeiniau canol yn dechrau ar swydd newydd yn y brifddinas. Roeddwn i'n cael sylw, a ffordd o fyw newydd, cyffrous, ac mi wnes i fwynhau pob munud o'r cyfnod. Roedd cymdeithas ffantastig yng nghlwb Pontcanna a digon o bartïon ac ati'n ogystal. Mi weithiwn yn galed, a llenwi fy oriau hamdden i'r eitha.

Ar adegau, roedd yn anodd credu 'mod i 'yn y gwaith'. Os oedd Ardwyn yn Colditz a Glan Clwyd yn Butlins, roeddwn i rŵan wedi glanio yn Disneyland!

Ond, eto i gyd, roedd agweddau o'r sylw yma'n fwy anodd i'w dderbyn. Ar un achlysur, yn ystod fy mlwyddyn gynta, cyn i mi gael car, roeddwn wedi mynd adre at fy rhieni ac wedi cael benthyg car fy chwaer. Un diwrnod, roeddwn yn mynd y tu ôl i gar arall ac wedi ychydig, mi arwyddodd i droi i'r chwith. Ond yn hytrach na gwneud hynny symudodd allan i ganol y ffordd fel petai am droi i'r dde. Gan gymryd ei fod wedi gwneud camgymeriad ac am symud i'r dde mewn gwirionedd, mi ddechreuais basio'r car ar y tu mewn. Ond, troi i'r chwith wnaeth o, beth bynnag. Dyna beth oedd ergyd!

Daeth y dyn allan a gofyn am fy enw.

'Arfon Haines Davies. And yours?'

'PC Thomas.'

Yn yr achos llys a ddilynodd roeddwn yn ofnus iawn. I ddechrau, cyfeiriwyd ata i drwy'r achos fel 'Davies'. Davies said this and Davies said that. Dyna ni 'nôl efo hen broblem yr enw.

Ond, hefyd, roedd arna i ofn am 'mod i bellach yn

wyneb cyfarwydd ar y teledu ac felly'n ofni'r canlyniadau. Ac, fel roeddwn i wedi ofni, roedd y pennawd yn y *Weekly News* yr wythnos ganlynol yn dweud: 'TV man on careless driving charge'!

Pwysau newydd arall, ond ychydig yn fwy dymunol, oedd y pwysau ddaeth yn sgil y sylw cynyddol o fod ar y teledu. Yn ystod y pum mlynedd y bûm i'n athro, ches i erioed y fath driniaeth ac ymateb o gofio i mi gael mynd i mewn i'r sinema am ddim. Ond yr un Arfon oeddwn i.

Ac mi gofiwn y dyddiau hynny pan fyddwn yn mynd i'r dawnsfeydd yn y Rhyl efo'm ffrind, John Roberts, ac yntau'n troi ata i'n ddi-ffael ac yn dweud, 'Mi wna i ddawnsio efo honna ac mi gei di ei ffrind hi'. Buan iawn y gwnes i ddeall nad oedd gan ei ffrind, hyd yn oed, fawr o ddiddordeb dawnsio efo fi! Erbyn hyn, roedd merched yn dangos diddordeb ac, eto i gyd, doeddwn i ddim wedi newid gymaint â hynny.

Wrth i'r meddyliau hyn wibio trwy fy meddwl, parhau i gynyddu a wnâi'r sylw. Ac roedd fy ffrindiau yn awyddus i ddweud wrtha i'n garedig:

'Rwyt ti'n sylweddoli nad ydi'r merched yna ond yn dangos diddordeb ynddat ti am dy fod ti ar y teledu, on'd wyt ti?'

Fy ateb innau fyddai:

'Wrth gwrs 'mod i. Ond, credwch neu beidio dydy hynny ddim yn broblem.'

PENNOD 14

TISWAS A KYFFIN

ROEDD Y DDEUOLIAETH RHWNG y cyhoeddi a theledu go iawn yn cnoi yng nghefn fy meddwl o hyd. Daeth cyfle i gael blas ar yr hyn roeddwn i'n ei alw'n deledu go iawn ym misoedd yr haf, pan oedd llawer o bobl ar eu gwyliau.

Cefais gyfle i ddarllen y newyddion ar *Y Dydd*. Mae'n rhyfedd, yr un deunydd roeddwn yn ei ddarllen yno ag y byddwn yn ei ddarllen yn fy stafell *continuity* i fyny'r grisiau. Ond, oedd, mi roedd hwn yn teimlo fel teledu go iawn. Roedd camerâu o 'nghwmpas i, y criw i gyd yno a'r cyffro i'w deimlo. Yn sicr, wedi imi gael blas ar y profiad am y tro cynta, roeddwn i eisiau mwy. Ond, am y tro, 'nôl â fi at fy ngwaith fel cyhoeddwr.

Un o raglenni poblogaidd y cyfnod oedd *Siôn a Siân* efo 'Dai a Jen'! Dai Jones a Jenny Ogwen, wrth gwrs. Os oeddwn i'n edmygu rhai o'r cyflwynwyr ac actorion yn y cyfnod, yna datblygodd Dai, neu'r 'Wallet' fel y bydda i'n ei alw, i fod yn arwr go iawn.

Dydw i ddim yn un am seremonïau anrhydeddu o gwbl a dweud y gwir – falle am nad ydw i erioed wedi cael fy enwebu – ond mae Dai wedi cael cam am beidio ag ennill Bafta am fod y cyflwynydd gorau. Mae'n dalent arbennig a chanddo'r ddawn i drin pobol. Mi wyddon ni i gyd ei fod yn gymeriad byrlymus a lliwgar. Ond, os ydi o'n gweld fod y person o'i flaen yn debyg iawn iddo fo, mae'n camu 'nôl ychydig, yn dweud llai, er mwyn i'r person hwnnw ddisgleirio. Ar y llaw arall, pan fo rhywun nerfus efo fo, mae Dai'n parablu mwy er mwyn cael y gorau o'r person hwnnw. Ac mae'n gwneud hyn heb i'r cyfranwyr, na'r gwylwyr, sylweddoli. Mae'n gwybod pryd i siarad a phryd i beidio, sydd yn grefft brin mewn cyflwynwyr.

Ac, wrth gwrs, mae ganddo stori ar gyfer pob achlysur. Amhosib yw bod yn yr un stiwdio, coridor, cantîn, stafell golur neu faes parcio heb fod ganddo stori pan ddaw ar eich traws. Ac, yn aml iawn, dydi hi ddim yn bosib gwybod ai stori wir mae am ei hadrodd neu a ydi o'n tynnu coes.

Dros baned un diwrnod, roedd yn adrodd stori am daith ffilmio i Iwerddon. Cyfeiriodd at y ffaith iddo rannu brecwast yn y gwesty â phencampwr gwyddbwyll Ewropeaidd ac iddo fwynhau'r sgwrs yn fawr iawn.

'Yr unig broblem,' meddai, 'mi gymrodd ddeng munud iddo i basio'r halen i mi!'

Unwaith erioed yr ydw i wedi ei weld yn cael trafferth dod o hyd i eiriau, sef pan wnaed rhaglen *Penblwydd Hapus* iddo. Wedi misoedd o baratoi manwl ar fywyd Dai, daeth y diwrnod i roi'r syrpreis iddo. Roeddwn wedi mynd i dreialon cŵn defaid yn Llangwyryfon a neidiais allan o gefn fan o flaen Dai i ddweud 'Pen-blwydd hapus!' a thorri'r newyddion iddo bod rhaglen gyfan wedi ei pharatoi arno fo.

Mi ddechreuodd sawl brawddeg heb allu gorffen yr un ohonyn nhw! Daeth ebychiadau cyson. Anadlu dwfn. Ond dim un frawddeg gyflawn.

Pleser oedd gwneud y rhaglen honno yn deyrnged i un nad ydi pobl yn ystyried cymaint yw ei gamp fel cyflwynydd am ei fod yn gwneud i bopeth edrych mor rhwydd.

Yn ogystal â *Siôn a Siân*, cyfres boblogaidd arall yn y cyfnod cynnar oedd *Miri Mawr,* y rhaglen i blant a ddaeth â Caleb, Blodyn Tatws a Dan Dŵr i'n byd ni! Rhaglen i blant, ie efallai, ond un a oedd yn boblogaidd gan oedolion hefyd ac yn ystafelloedd neuaddau preswyl myfyrwyr hyd yn oed.

Yr hwyl i mi oedd cael gweld yr ymarferion ar gyfer y rhaglen a oedd, a dweud gwir, yn fwy o hwyl a sbri na'r rhaglen ei hun. Eitha abswrd oedd cerdded ar hyd y coridor, troi'r gornel a gweld Caleb neu Dan Dŵr yn cerdded tuag ata i. Roeddwn i'n gwybod 'mod i mewn byd gwahanol yn ddigon sicr ar achlysuron fel 'na! Siom i mi yw gorfod dweud na ches i erioed gyfle i fod ar *Miri Mawr!*

Ond mi allaf ddweud, yn rhyfedd iawn, i mi gael cyfle i fod ar *Pobol y Cwm*. Roedd cymeriad Charles Williams, Harri Parri – yr un a lefarodd y geiriau cynta ar ddechrau'r gyfres – a chymeriad Rachel Thomas, Bela, yn gymeriadau amlwg yng nghartre'r hen bobl, Brynawelon. Mi aeth yn ffrae rhwng y ddau ynglŷn â pha raglen ddylai fod ar deledu lolfa'r cartre. Roedd Bela am wylio *Coronation Street* a Harri Parri yn gryf yn erbyn. Bela enillodd y dydd, ac wrth iddi setlo i wylio'r rhaglen, mi ddes i ar y sgrin a dweud, oherwydd nam technegol, nad oedd hi'n bosib darlledu rhifyn y noson honno o *Coronation Street*. Dim ond am ychydig eiliadau, ond gallaf ddweud imi fod ar *Pobol y Cwm*!

Anlwc i gydweithiwr drodd yn gyfle i mi – fel sy'n digwydd mor aml yn y byd teledu. Wrth i mi gyrraedd ar gyfer diwrnod o waith, daeth Peter Elias Jones, Pennaeth Rhaglenni Plant, ata i gan ddweud bod Gwyn Parry'n sâl, a gofyn a fyddwn i'n gallu cyflwyno un o raglenni *Wstibethna* yn ei le.

'Dim problem o gwbl,' meddwn i. 'Pryd?'

'Pnawn 'ma,' oedd yr ateb syfrdanol.

Trefnwyd rhywun i wneud fy ngwaith arferol yn fy lle, a draw â fi at dîm *Wstibethna*, a'm cyd-gyflwynydd, Elinor Jones.

Wel, roeddwn yn sicr yn gyfarwydd â'i gweld hi ar y sgrin, ac yn gwybod hefyd iddi ddechrau yn yr un ffordd â fi a'i bod yn cynnig gobaith bod modd i eraill symud ymlaen fel y gwnaeth hi. Ond, rŵan, roedd cyfle i mi gyd-gyflwyno rhaglen efo hi!

Y peth cynta y bu'n rhaid i mi ei wneud oedd cyflwyno eitem ar un o gŵn yr heddlu. Carl oedd enw'r ci, ac roedd o yn y stiwdio efo'i berchennog, sef plismon. Rhoddwyd un o fy siwmperi i'r ci fel y gallai ei hogleuo er mwyn iddo ddod yn gyfarwydd a'm harogl. Ffwrdd â fi wedyn i guddio yn un o'r amryw focsys cardbord a wasgarwyd ar draws y stiwdio.

Rhyddhawyd y ci fel y gallai ddod i chwilio amdanaf. Cyn pen dim, roedd ei drwyn a'i bawennau'n gwthio a tharo'r bocs lle roeddwn i. Neidiodd ar ben y bocs gan barhau i'w daro'n ddidrugaredd. Mae'n amlwg iddo gael ei longyfarch gan y plisman a'i dynnu oddi ar y bocs, ymhen amser a deimlai fel cyfnod hir iawn i mi.

'Iawn, Arfon,' meddai Elinor. 'Gelli di ddod mas nawr.'

'Arfon! Arfon! Gelli di ddod mas nawr, Arfon!'

Doeddwn i ddim am symud achos roeddwn wedi cael llond bol o ofn! Doedd gen i ddim ffydd o gwbl na fyddai'r ci yn ailddechrau ar ei neidio brwdfrydig a hynny ar fy mhen i'r tro hwn, heb y bocs. Felly arhosais yn y fan a'r lle.

Daeth y criw i godi'r bocs, a dyna lle roeddwn i'n un swp, a fy wyneb i'n wyn fel y galchen. Roedd pawb wrth eu boddau. Chwerthin braf a phawb yn mwynhau'r fath olygfa yn y stiwdio ac yn y galeri cynhyrchu hefyd. 'Dyna ni,' meddwn i wrthyf fy hun, 'dyna fi wedi gwneud llanast o bethau ar fy nghyfle cynta. 'Nôl i *continuity* fydd hi.'

Ond i'r gwrthwyneb y bu hi, diolch byth. Roedd pawb wrth eu boddau am 'mod i wedi tynnu cymaint o hwyl ar fy mhen, a hynny yn ei dro, medden nhw, yn grêt i'r rhaglen. Braf cael gwybod. Roedd mwy o hynny i ddod yn ystod y blynyddoedd nesa.

Unwaith eto, mi ddysgais gryn dipyn wrth weithio efo Elinor. Doedd dim un pwnc na allai hi droi ato a holi rhywun yn ystyrlon amdano. Roedd ganddi ddylanwad arall arna i hefyd, a hynny y tu allan i fyd darlledu.

Pan oeddwn yn rhannu fflat efo Richard Elfyn yng Nghaerdydd, un ddefod foreol oedd mynd i gaffi yn Heol Albany i gael brecwast llawn. Un bore, sylwais ar boster yn tynnu sylw at arddangosfa o waith celf yn yr oriel uwchben y caffi. Dyna lle roedd lluniau gan ddyn o'r enw Kyffin Williams yn cael eu dangos, a hyn dros ddeng mlynedd ar hugain yn ôl.

I fyny â fi i weld y gwaith. Nid am 'mod yn gyfarwydd â'i waith o o gwbl, ond, am wn i, roedd y diddordeb hwnnw a'm sbardunodd i astudio rhywfaint o gelf yn Ardwyn yn dal yno.

Syrthiais mewn cariad â'r gwaith yn syth. Rhaid i fi bwysleisio bod hyn yn y cyfnod cyn bod Volvo yn y garej, Kyffin ar y wal a thelyn yn y gornel yn cael eu hystyried fel arwydd bod person wedi llwyddo yn y byd cyfryngol!

Tynnodd un llun fy sylw'n benodol a bu cryn dipyn o bwyso a mesur cyn ei brynu. Llun bwthyn ar ben lôn rywle yn Sir Fôn oedd o. Ond roedd problem – roedd braidd yn ddrud. Deg punt ar hugain!

Yn y cyfnod hwnnw, roedd criw mawr ohonon ni'n cymdeithasu y tu allan i oriau gwaith gryn dipyn, ac, o ganlyniad, roeddwn wedi bod yn nhŷ Elinor. Roeddwn i'n gwybod bod ganddi un o luniau Kyffin ar y wal. Gofynnais iddi ddod efo fi i'r Oriel er mwyn cael gofyn ei chyngor. Wedi dangos y llun, trodd ata i a gofyn:

'Wyt ti'n hoffi'r llun?'

'Ydw, wir.'

'Wel pryna fe, 'te. Nid beth dw i'n feddwl sy'n bwysig. Mae'n amlwg dy fod ti wedi dwli arno fe, a dyna sy'n bwysig.'

Cyngor a fu'n sail i fy agwedd wedi'r diwrnod hwnnw ac sy'n dal i lywodraethu. Prynais fy llun cynta erioed. O ganlyniad, dechreuais ddod i nabod gwaith arlunwyr eraill o Gymru ac, yn fy nhro, dod i nabod sawl un o'r arlunwyr eu hunain hefyd, gan gynnwys Kyffin Williams.

Dros gyfnod o tua deng mlynedd olaf ei fywyd, byddwn yn mynd i ymweld ag o'n gyson yn ei gartre ym Mhwll Fanogl, i'w ffilmio weithiau, ond yn amlach na pheidio, er mwyn bod yn ei gwmni. Roedd yn gymaint o ŵr bonheddig ac yn ddiymhongar ynglŷn â'i allu a'i waith.

Yn ystod un ymweliad â'i dŷ i ffilmio, trodd y dyn sain ato i fynegi'r hyn a oedd wedi taro pob un ohonon ni. Doedd fawr ddim i rwystro unrhyw un rhag mynd i mewn i'r stiwdio lle roedd yn gweithio a lle câi ei luniau eu cadw. Stafell ddigon bregus, ac un clo bach gwantan ar y drws.

'What would you do if someone broke in and stole one of your paintings?'

'I'd paint another one,' oedd yr ateb tawel, gostyngedig, a roddodd.

Buom yn llythyru â'n gilydd am gyfnod hir, a fyddai

o byth yn anghofio pen-blwydd Catrin. Roedd o hefyd yn un a gefnogai elusennau, yn arbennig Shelter Cymru. Bob blwyddyn, rhoddai un o'i baentiadau ar gyfer ocsiwn flynyddol yr elusen ac yn ddi-ffael byddai hynny'n codi rhai miloedd iddynt. Y fi fyddai'r ocswiniar fel arfer, a gwefr go iawn oedd gweld y pris yn codi'n uwch ac yn uwch.

Gwelais un o luniau Kyffin ar glawr catalog Christie's. Anfonais y llyfryn ato, rhag ofn nad oedd wedi ei weld. Daeth llythyr yn ôl i ddiolch, â'r sylw cynnil:

'It seems as if my work is becoming popular for some reason.'

Dw i'n gwybod pam bod ei waith mor boblogaidd gen i o leia. Mae'n paentio fy Nghymru i. Mor syml â hynny. Wrth deithio 'nôl a blaen rhwng de a gogledd alla i ddim peidio â sylwi mor anaml y bydd yr awyr yn las mewn gwirionedd. Fel arfer, mae'n gasgliad o liwiau llwyd, brown a du a bydd tywyllwch a rhyw deimlad lleddf yn aml yn hongian yn yr awyr ac fe geir hyn yn lluniau Kyffin.

A'r diddordeb hwn yn ei luniau wedi dechrau trwy fynd am gig moch ac wy ar y ffordd i'r gwaith!

Wrth i'r saithdegau dynnu at eu terfyn, bu cryn arbrofi yn HTV. Dan arweiniad Chris Grace, creodd HTV Cymru ei slot ei hun ar fore Sadwrn, gan ddewis peidio â darlledu'r hyn a fyddai ar weddill rhwydwaith ITV. *Ten on a Saturday* oedd yr enw yn Saesneg, a *Deg ar fore Sadwrn* yn y Gymraeg. Roedd y slot yn para o ddeg y bore tan hanner awr wedi hanner. Yn lle dangos pa bynnag ffilm oedd ar y rhwydwaith, roedd gan Gymru gymysgedd o raglenni fel *Batman*, *Lone Ranger*, ambell eitem bop a rhaglenni Cymraeg yn cael eu darlledu. Ar fore Sadwrn, felly, ailddarlledid *Miri Mawr*.

Yn y slot yma, HTV oedd y cwmni cynta i ddangos cyfres a brynwyd gan un o gwmnïau teledu America, sef *Happy Days*.

Hefyd ar fore Sadwrn dangosodd HTV Cymru raglen a wnaed gan ATV yng Nghanolbarth Lloegr, rhaglen o'r enw *Tiswas*. Datblygodd i fod yn rhaglen gwlt ymhen dim o dro ac, fel *Miri Mawr*, er mewn ffordd gwbl wahanol, roedd yn rhaglen i blant a gâi ei gwylio gan oedolion.

Roedd criw technegol yr adran gyflwyno wrth eu boddau yn gwylio *Tiswas*, a deuai pethau i stop er mwyn iddynt allu ei mwynhau. Am i ni ddangos y rhaglen, datblygodd perthynas rhwng HTV ac ATV a gofynnwyd a oedd modd dangos y cydweithrediad hwn ar y sgrin. Yr ateb oedd anfon rhywun o HTV i Birmingham i fod ar *Tiswas* yn achlysurol. A dwi'n falch o ddweud mai fi gafodd ei ddewis!

Roedd fy stumog yn troi gan gyffro wrth fynd i fyny ar y trên ar y dydd Gwener cynta hwnnw. Gwnes gryn ymdrech i wneud yn siŵr fod pob peth gen i a 'mod i'n edrych yn ddigon derbyniol ar gyfer y fath achlysur. Wedi'r cyfan, pwy fyddai ar ben y daith yn aros amdana i yn y stiwdio ond Chris Tarrant, Bob Carolgees a Spit the Dog. A Sally James wrth gwrs.

Mi wnes eu cyfarfod yn y stiwdio mewn parchedig ofn. Aethon ni ati i drafod cynnwys y rhaglen i'w darlledu y bore canlynol, a Chris Tarrant, chwarae teg iddo, yn fy rhybuddio i wneud yn siŵr fy mod yn gwisgo hen ddillad. Trodd i edrych arna o 'mhen i'm sawdl wrth ddweud hynny.

'Yes, what you've got on will do fine!'

A herian fel yna fu hi gydol yr amser, o ganlyniad i'w

feddwl miniog, cyflym, a oedd ar waith drwy'r amser. Y noson honno, aeth y tîm cynhyrchu allan am noson yn Birmingham. I glwb nos am ychydig, wedyn cyrri. Wrth gyrraedd 'nôl i'r gwesty am ddau y bore, trodd Chris Tarrant ata i a dweud:

'Breakfast at 6.30 tomorrow, Arfon. See you!'

Pan ddaeth hanner awr wedi chwech, roedd golwg gythreulig arna i. Edrychwn fel hunlle. Roeddwn i'n cael trafferth agor fy llygaid a phan wnes i, roedden nhw'n goch. Wrth y bwrdd brecwast, roedd Tarrant yn llawn bywyd fel petai wedi mynd i'w wely am naw efo'i Ovaltine! O 'mlaen i roedd nid yn unig y brecwast, ond hefyd rhaglen stiwdio fyw mor *wacky* a bywiog â *Tiswas*.

Y peth cynta a'm trawodd i wrth gerdded i'r stiwdio oedd mor fach ydoedd. A'r ail, mor drefnus oedd popeth a chymaint o waith ymarfer a pharatoi a wnaed ar gyfer rhaglen a ymddangosai, ar y sgrin, fel anarchiaeth lwyr. Erbyn meddwl, ni allai'r fath raglen fod mor anhrefnus yr olwg heb sicrhau trefn aruthrol wrth ei pharatoi.

Y ffordd y cytunwyd i mi gymryd fy lle ar y rhaglen oedd drwy ddweud i mi gwyno nad oedd digon o Gymraeg ar *Tiswas*. O ganlyniad, cefais wahoddiad i fynd arni i'w chyflwyno yn Gymraeg.

Eitem gynta'r rhaglen honno oedd cân gan y grŵp Hot Gossip – a'r gyn-Mrs Andrew Lloyd Webber, Sarah Brightman, yn rhan o'r grŵp. Cân boblogaidd yn y cyfnod, 'I lost my Heart to a Starship Trooper' a gyflwynwyd. Doedden nhw'n gwisgo fawr ddim dillad, a dw i'n cofio gweld coesau ymhobman. Ymlaen wedyn at eitem wythnosol Lenny Henry fel y cymeriad Sir Trevor McDoughnut yn darllen y newyddion.

Wedi i Sir Trevor ddechrau darllen, torrodd Chris

Tarrant ar ei draws a dweud bod rhai wedi cwyno ynglŷn â'r diffyg Cymraeg ar y rhaglen, felly roedd rhywun yn mynd i gyd-gyflwyno'r newyddion efo fo'r bore hwnnw, sef, 'Arfon from Caernarfon!'

Roedd y siot yn lledu wedyn i 'nangos i ochr yn ochr â Sir Trevor, wedi 'ngwisgo'n union fel y gwisgai Lenny Henry wrth chwarae'r cymeriad gwreiddiol. Am bob brawddeg o stori roedd o'n ei darllen yn Saseneg, roeddwn i'n ei darllen yn Gymraeg!

'A woman was arrested today for wearing absolutely nothing. She covered herself with savoury biscuits and started singing 'Putting on the Ritz'!'

Ac wrth iddo ddweud y gair 'Ritz' cafodd pwcedaid anferth o ddŵr ei daflu drosto. Wrth i mi fynd ati i ddarllen yr un frawddeg yn Gymraeg, gwyddwn yn eitha da felly mai'r un fyddai fy nhynged innau wrth gyrraedd yr union air. A dyna ddigwyddodd!

Roedd rhan arall o'r rhaglen yn cynnwys darllen cyfarchion i blant a oedd wedi ysgrifennu i'r rhaglen. Yr hyn wnes i oedd creu negeseuon gan blant gan ddefnyddio enwau'r criw technegol y gwyddwn a fyddai'n ein gwylio ym Mhontcanna. Roedden nhw wrth eu boddau.

Mi fûm i ar *Tiswas* tua phedair gwaith i gyd ac roedd yn andros o hwyl bob tro. Dw i'n cofio ar un achlysur gael gwahoddiad i fynd i glwb ATV a gweld rhai o gast *Crossroads* yno. Roedd yn un o hoff raglenni Mam, fel miliynau o bobl eraill, a ches gyfle i eistedd ochr yn ochr â Meg Richardson, Allan Hunter a Benny. 'Sa Mam wedi 'ngweld i!

Roedd mynd 'nôl i waith *contiunity* y bore Sul wedyn yn deimlad fflat ofnadwy. A doedd agwedd un o 'nghydweithwyr tuag ata i ddim yn help chwaith. Wrth i mi gerdded i mewn i'r stiwdio gyhoeddi, dyma fo'n dod ata i a dweud:

'Oce, hwn yw dy fara menyn di – anghofia'r stwff arall 'na nawr, a mlaen â ti â dy waith!'

Wel, roedd hwnna'n bin yn y balŵn go iawn! A dweud y gwir, doedd mo'i angen o chwaith.

Ond, doedd y cyffro ddim wedi diflannu'n llwyr. A hyd yn oed wrth eistedd gartre wedi hynny, roeddwn yn aml yn meddwl, 'Ddigwyddodd hynna i mi, go iawn?'

PENNOD 15

SÊR A JAM

AR ÔL YR HELYNT efo Carl yr Alsatian ar *Wstibethna*, roedd yn rhyddhad deall bod cyfle arall i mi gyflwyno cyfres ar HTV Cymru, sef *Seren Wib*. Wnes i ddim cyflwyno'r gyfres gynta, ond mi ges gynnig cyflwyno'r ail a bu gen i nifer o gyd-gyflwynwyr, Nia Ceidiog, Caryl Parry-Jones, Siwan Jones a Bryn Fôn.

Yn annisgwyl, mi aeth â fi 'nôl i ddyddiau Aberystwyth hefyd. Cyfarwyddwr y gyfres oedd gŵr o'r enw David Lloyd, a ddaeth yn Bennaeth Adran Rhaglenni Nodwedd. Yn fy nyddiau i yn yr Aelwyd, David Lloyd oedd un o'r gwŷr gwadd yn y parti Nadolig, neu ryw achlysur tebyg. Bydden ni'n aml yn cael rhai o ffilmiau Charlie Chaplin, ac yna'r consuriwr David Lloyd o Lanbadarn. Roedd Mam yn awyddus iawn i mi fynd i'r nosweithiau hyn, rhai a alwai hi'n Chaplin a Lloyd. Dau enw a gâi eu cysylltu ddegawdau ynghynt, ond Chaplin a Harold Lloyd oedd hi bryd hynny, wrth gwrs. Wedi i mi ddechrau gweithio efo fo yn HTV, mi ddywedais y stori hon wrtho, ac yntau wrth ei fodd yn cael ei gysylltu â'r enw Chaplin.

Nid yn unig roedd y gyfres hon yn gyfle arall i ddod allan o *continuity* am ychydig, ond roedd yn gyfle i gael bod yn rhan o'r byd canu pop a roc roedd gen i gymaint o ddiléit ynddo beth bynnag. Roedd hefyd yn cynnwys eitemau tebyg i'r rhai ar *Wstibethna* lle'r oedd cyfle imi roi cynnig ar sawl gweithgaredd gwahanol, fel sgïo dŵr, hwylio, dringo ac ati. Mae'n siŵr bod y cynhyrchwyr yn gobeithio y byddwn unwaith eto'n wynebu rhyw sefyllfa a fyddai'n destun sbort i bawb, fel a ddigwyddodd efo'r ci.

Doedd dim rhaid iddyn nhw aros yn rhy hir. Yn Amgueddfa Sain Ffagan roeddwn i, yn edrych ar hen deganau. Yn fy llaw, roedd hen degan Fictoraidd, rhyw beiriant weindio a thop y peiriant yn troi. Cyn pen dim, roedd y ddolen i droi'r cyfan yn fy llaw, a honno wedi dod yn rhydd oddi wrth y tegan yn llwyr. Bu bron i geidwad yr Amgueddfa gael ffit, a dyna lle'r oedd yn sôn am degan a oedd wedi goroesi ers dyddiau Fictoria ac wedi pum munud yn fy nwylo i, roedd yn deilchion. Mae'r digwyddiad wedi bod ar sawl rhaglen sy'n cynnwys camgymeriadau cyflwynwyr a pherfformwyr.

Ar y diwrnod cyntaf o ffilmio ar leoliad efo *Seren Wib*, roedd yn rhaid mynd i Ferthyr Mawr ar gyfer eitem ar gyfeiriannu, sef *orienteering*. Cafwyd arwydd arall o ddylanwad yr undebau yn y cyfnod hwnnw. Ar gyfer yr eitem oedd yn para pedwar munud, ar leoliad bu'n rhaid cael: y cyfarwyddwr, y cynorthwyydd cynhyrchu, y dyn camera, y cynorthwyydd camera, y boi sain, y trydanwr, yr ymchwilydd, y person colur a fi. Naw ohonon ni! Hyd yn oed ar ddiwrnod braf ym Merthyr Mawr, roedd yn rhaid cael trydanwr, hyd yn oed os mai eistedd yn ei gar y byddai drwy'r dydd. Ac roedd pob un ohonon ni'n mynd yno ar ei ben ei hun yn ei gar hefyd.

Un peth mae pob cyflwynydd yn gorfod delio ag o ar ryw adeg neu'i gilydd yw adolygiadau yn y wasg. Y rhai sy'n aros yn y cof i mi'n bersonol yw'r rhai anffafriol. Eto i gyd, mae un adolygiad ffafriol wedi goroesi, un gan Jenny Eirian yn y *Faner*. Dywedodd iddi fwynhau un eitem ar bysgota'n fawr a gofynnodd tybed a fyddai Hywel Gwynfryn wedi dal cymaint o bysgod petai *Bilidowcar* wedi gwneud yr un eitem. Dyna pam dw i'n ei gofio. Roedd yn tynnu cymhariaeth ffafriol rhyngdda i a Hywel Gwynfryn. Fo oedd y boi ar y pryd. Yn ystod un cyfnod yn yr ysgol (sori Hywel!), wrth ei weld ar *Heddiw*, dw i'n cofio dweud y baswn i'n hoffi cael ei job o. Roedd wedi holi Cassius Clay! Wedi gwisgo fel John Steed, yr *Avengers*! Waw! Teimlwn fod yr un sylw hwnnw'n gryn anrhydedd oherwydd fy mharch i at Hywel. Roedd o wrthi cyn i mi ddechrau, a heddiw, a minnau bron â rhoi'r gorau iddi, mae o'n dal wrthi.

Gyda'r adolygiadau a'r sylw cynyddol, daeth gwahoddiadau digon pleserus hefyd. Rai blynyddoedd ynghynt, daeth cais i gyflwyno noson Miss Club Double Diamond, y clwb enwog hwnnw yng Nghaerffili. Ocê, roedd bod ynghanol cymaint o ferched deniadol yn atyniad, er efallai bod y fformat, a'r syniad y tu ôl iddo, wedi dyddio dipyn erbyn hyn. Ond y prif atyniad i mi oedd cabaret y noson, Ryan. Seren heb ei ail – a chyn-fyfyriwr yng ngholeg y Central hefyd.

Mi ges i'r cyfle i'w gyflwyno ar y llwyfan, ac ar ôl iddo orffen, es draw i'w stafell wisgo i ddiolch iddo.

Curais y drws, a daeth gwahoddiad i mi fynd i mewn.

Am olygfa! Roedd wedi tynnu'i grys ac yn eistedd yn un swp gwelw ar ei gadair, a'r chwys yn arllwys o'i gorff. Roedd ei anadl yn brin ac roedd lliain wedi lapio o'i gwmpas, wedi ymlâdd yn llwyr ar ôl rhoi popeth yn ei berfformiad. Welais i erioed y fath beth cynt na wedyn chwaith. Perfformiwr o'r radd flaena nad ydyn ni wedi gweld ei debyg ers hynny.

Un o'r bobl wnaeth ymddangos ar *Seren Wib* oedd y Dudley ifanc iawn. Roedd ar y rhaglen er mwyn coginio pitsa. Yn y dyddiau hynny bydden ni'n recordio eitemau cyn y rhaglen. Felly mi wnaed y darn cynta efo Dudley, a'r pitsa yn cael ei osod i mewn yn y popty. Symudwyd at ambell eitem arall, ac ymhen rhyw ugain munud yn ôl â ni at Dudley. Mi es draw at y popty er mwyn gweld y pitsa wedi'i bobi, agor y drws a chydio yn y plât efo 'nwylo. Sylwodd neb ar y pryd, ond roeddwn wedi rhoi'r argraff naill ai bod gen i ddwylo asbestos neu wedi gallu cuddio llosgiadau difrifol yn dda iawn. Y gwir amdani oedd nad oedd y popty wedi ei gysylltu o gwbl, ac roedd y pitsa gorffenedig wedi'i baratoi cyn y rhaglen.

Erbyn y gyfres wedyn, roedd *Seren Wib* ar nos Lun a nos Iau – *Seren Un* ar nos Lun a *Seren Dau* ar nos Iau. Ces gyfle i gyflwyno *Seren Dau*. A ninnau'n croesi i mewn i'r wythdegau ar y pryd, roedd yn gyfnod cyffrous i fod yn rhan o'r sîn roc Gymraeg. Roedd bandiau di-ri yn dod i mewn i'r stiwdio er mwyn bod ar y rhaglen, ac yn aros amdanyn nhw roedd Endaf Emlyn, y cynhyrchydd. Beth oedd yn well i'r bandiau hynny na gwybod bod eu perfformiadau ar y teledu yn nwylo dyn a oedd y deall byd y bandiau a byd y teledu? Rhyddhaodd dair sengl Saesneg a gafodd eu recordio yn stiwdios Abbey Road, a wnaed yn enwog pan groesodd y Beatles y ffordd ar y groesfan sebra. Fo hefyd greodd yr albwm thema gynta yn y Gymraeg, *Salem*. Anodd credu mai ar *Miri* Mawr y canodd o rai o ganeuon yr albwm arloesol honno am y tro cynta!

Roedd yn un am osod safonau pendant a'i ddisgyblaeth yn help, mae'n siŵr, i'r bandiau ddeall beth oedd yn bwysig. Cafodd un band eu troi i ffwrdd o ddrysau'r stiwdio am gyrraedd yn rhy hwyr. Doedd ganddo fawr o amynedd os nad oedd aelodau unigol y bandiau yn cymryd eu gwaith o ddifri. A fo oedd yn iawn. Ymhen ychydig, ymunodd Myfyr Isaac fel ymgynghorydd a threfnydd cerdd. Unwaith eto, gŵr â phrofiad ganddo o fyd y bandiau, fel cyn-aelod o Budgie ac ati.

Roeddwn i'n gyfarwydd â rhai o'r cerddorion cyn eu gweld yn y stiwdio. Pobl fel Geraint Jarman a'r Cynganeddwyr, er enghraifft. Pan ddeuai Jarman i mewn efo'i fand, nhw oedd y bois go iawn. Pino Paladino ar y gitâr fas ac, wrth gwrs, Tich Gwilym ar y gitâr flaen. Gyda phobl fel hyn yn y grŵp, gwnawn yn siŵr 'mod i'n eu gwylio'n ymarfer hefyd.

Digwyddais sôn wrth Tich Gwilym 'mod i'n hoff iawn o Hank Marvin a'i ymateb yntau oedd dweud bod Marvin yn arwr iddo fo hefyd. Soniais 'mod i newydd weld Hank Marvin yn Neuadd Dewi Sant, Caerdydd, a bu sgwrs frwd rhyngon ni yn trafod gallu'r gitarydd yma cyn i Tich fynd 'nôl i'r stiwdio.

'Gobaith Mawr y Ganrif' oedd y gân roedden nhw am ei recordio ar gyfer y rhaglen y pnawn hwnnw. Yn sydyn, ar un pwynt penodol yn y gân, dechreuodd Tich ar riff o'r gân 'Apache' gan y Shadows! Edrychodd draw ata i a wincio'n wybodus wrth iddo barhau i gwblhau'r riff cyn troi 'nôl at 'Gobaith Mawr'. Roedd dawn anhygoel ganddo i symud o'r naill i'r llall ac yn ôl, mor hawdd.

Daeth nifer o grwpiau newydd y cyfnod i mewn, wrth gwrs. Eliffant, Chwarter i Un, Trwynau Coch, Maffia Mr Huws ac yn y blaen. Creodd un o'r grwpiau newydd hyn un gân fythgofiadwy yn fy nhyb i. Roedd y gân 'Geiriau' gan Ail Symudiad yn creu argraff pan glywais i hi gynta ar lawr y stiwdio. Dw i'n dal i ddweud mai hon yw un o'r caneuon pop gorau yn y Gymraeg. Mae popeth yn y tri munud a ddylai fod mewn cân bop dda.

Roeddwn wedi clywed am Meic Stevens ac wedi ei gyfarfod hefyd cyn dyddiau teledu. Eisteddfod Rhydaman,

1970, oedd hi. Roedd David Hooson a fi wedi mynd i lawr o'r gogledd. David oedd y dylanwad *blues* mawr arna i, felly roedd y ddau ohonon ni'n gwybod am ddylanwadau *blues* Meic ac yn awyddus i'w glywed. Roedd yn perfformio bob nos mewn rhyw glwb yn y dre'r wythnos honno. A DJ y nosweithiau hyn? Hywel Gwynfryn.

Gan i ni fynd yno mor aml, daeth cyfle i gael gair efo Meic ei hun. Yr hyn a oedd yn fy mhoeni i'n benodol oedd pam nad oedd wedi chwarae mwy o'r *blues* go iawn ynddynt.

'Dyw'r gitâr iawn ddim 'da fi, twel. Dyw'r Martyn ddim gyda fi.'

'Ble mae o, felly?'

'Gartre, 'nôl yn Solfach.'

Ac wrth iddo ddweud hynny, daeth syniad i'r ddau ohonon ni. Beth am fynd yno i'w 'nôl? Gallwn ofyn i Nhad am gael benthyg y car, a mater bach fyddai mynd i Solfach. Y gwir amdani oedd nad oedd gen i syniad lle roedd Solfach mewn gwirionedd. Ond, ta waeth am hynny, gofynnais i Nhad, a chytunodd ar yr amod fy mod yn dod â'r car yn ei ôl iddo erbyn chwech y noson honno.

Ffwrdd â Meic a fi i Solfach, felly. Buan y deallais ei fod yn gryn bellter i ffwrdd, wrth i'r daith gymryd dros awr a ninnau'n dal heb gyrraedd. A buan y deallais am berthynas Meic â Solfach hefyd. Roedd yn ta ta ar unrhyw obaith o godi'r gitâr a bwrw'n syth yn ôl! Aeth Meic am sgwrs efo hwn a'r llall a galw i weld rhywun arall. Felly y bu hi drwy gydol y pnawn.

Roeddwn i'n pryderu rywfaint erbyn hynny am gael y car 'nôl i Nhad. Ond ofer oedd unrhyw ymbil. Wedi i ni lwyddo i adael Solfach, penderfynodd alw i weld ffrind y tu allan i Gaerfyrddin wedyn. Mi gyrhaeddwyd Rhydaman yn y diwedd, a'r gitâr Martyn yn ddiogel ganddo. Ond roedd Nhad wedi bod yn aros amdana i am dros awr a hanner!

Ar y daith honno y dechreuodd Meic fy ngalw yn Dafis. Davies roedd David Hooson yn 'y ngalw i hefyd. Amrywiadau pellach ar sut roedd pawb yn fy nghyfarch.

Ryw fore, yn fuan wedi hynny, roeddwn i'n gwrando ar raglen Hywel Gwynfryn ar Radio Cymru, *Helo, Sut 'da chi?*. Ac, er syndod, daeth cyfarchiad gan Hywel i 'Dafis', a oedd wedi bod o help mawr iddo fo a Meic yn ystod y Steddfod.

Mi wnaeth un grŵp yn benodol gryn argraff arna i yn ystod y gyfres *Seren Dau*, grŵp nad oeddwn wedi clywed amdanynt cyn hynny. Roeddwn i'n digwydd bod yn ymyl stafell ymarfer y bandiau yn sgwrsio, pan glywais riffs gitâr anhygoel – rhai roeddwn yn gyfarwydd â'u clywed gan grwpiau fel Thin Lizzy, Black Sabbath neu Whitesnake.

Roedd yn rhaid gwybod mwy ac i mewn â fi i'r stafell i weld pwy oedd yn cynhyrchu'r fath sŵn. Crys. Gwisgai'r dynion sain blygiau yn eu clustiau, am fod y band wedi gwrthod gostwng y sain. Dw i'n ffan mawr o'r band o hyd a dim rhyfedd bod John Peel wedi eu hoffi cymaint.

Mantais fawr i bob un o'r bandiau a ddaeth trwy stiwdio *Seren Dau* oedd cael gofal gan Endaf Emlyn. Mewn cyfnod pan oedd cymaint o fandiau'n mentro a thuedd amlwg i fynd efo'r lli, roedd Endaf yn cynnig disgyblaeth gynnar iddynt. Doedd o ddim yn dioddef gormod o rialtwch chwaith; digon o sbri, ond heb groesi'r llinell. Mae Endaf wedi gosod y seiliau i gymaint o fandiau yng Nghymru.

Roedd *Seren Dau* yn cyfrannu at fyd cerddoriaeth y cyfnod hefyd, trwy gynnal nosweithiau *Sêr*. Cyfle i gynnal gigs byw mewn mannau fel Bethesda, a mynd â grwpiau fel Crys yno.

Wrth i 1982 agosáu, a dechrau S4C ar y gorwel, roedd dyddiau *Seren Dau* yn dirwyn i ben, i mi o leia. Rhoddwyd y gyfres yn nwylo Gareth Roberts wedyn, a hynny'n ddigon dealladwy o ystyried yr angen i gael dechrau ffres ac ifanc. Pan ddaeth diwrnod recordio fy rhaglen ola, cynigiwyd cyfle anhygoel i mi – cael bod yn y band oedd efo ni'r diwrnod hwnnw sef Derec Brown a'r Racaracwyr. Chwarae teg iddyn nhw, mi fodlonon nhw i fi sefyll yn eu plith ar gyfer y gân ola.

Ond, yn fwy na hynny, sgrifennais gân ar gyfer yr achlysur hefyd – yr unig dro i mi fentro gwneud y fath beth. Y dôn oedd 'Johnny B Goode', Chuck Berry, a dyma eiriau'r pennill cynta.

Pan o'n i'n fachgen bach yn byw yn y wlad
Un peth o ni isio gan fy mam a 'Nhad –
Gitâr telecaster, gitâr coch crand;
Ron i isio bod yn un o fois y band.
Ymarfer y cordie nes cael cur yn fy mhen,
Ro'n i'n weddol sicr o C a G7;
Ro'n i'n gwrando ar y Beatles, yr Who a'r Stones,
Ro'n i isio mynd i Sain i wneud record i Huw Jones.
Chwarae, Chwarae, isio chwarae yn y band...
Ac ati!

Roeddwn i'n teimlo'n grêt yn sefyll yno efo'r band a gitâr yn fy llaw ac yn canu'r geiriau fel seren roc a rôl! Ond, trwy driciau teledu, doedd fy meic i ddim ar agor a doedd fy ngitâr ddim wedi ei chysylltu â'r pŵer chwaith. Dyna ddywedwyd wrtha i. Ond y gwir amdani oedd bod lefel fy meic i yn cael ei godi'n uwch ac yn uwch wrth i'r gân ddatblygu. Ac os oes un peth yn bendant dw i ddim yn gallu ei wneud, yna canu yw hwnnw, fel y sylweddolodd pawb a wyliodd y rhaglen honno.

Roedd un syrpreis ar ôl. Mae'n hen draddodiad, er yn draddodiad prin iawn, i'r criw technegol gyflwyno braich un o gamerâu'r stiwdio i gyflwynydd ar ddiwedd cyfres pan fyddan nhw wedi mwynhau gweithio efo fo neu hi. Wedi i bob peth orffen, ces fy nghyflwyno â braich camera, a'r neges, 'I seren *Sêr* oddi wrth y criw' wedi ei ysgrifennu arni. Mi es yn reit emosiynol o flaen pawb, mae'n rhaid dweud.

Arbrawf arloesol arall oedd cyfres o'r enw *Jam* lle roedd cerddoriaeth Gymraeg a Saesneg ar yr un rhaglen. Dave Edmunds, Rockpile a'r Diliau, John Cale a Leah Owen, Andy Fairweather Lowe a Hergest, Brân a Man. Am gyfuniad. Ond roedd o'n gweithio, heb i'r naill ddangos ei fod yn well na'r llall.

Byddwn yn mynd i weld y bandiau gorau'n ymarfer, yn enwedig rhywun fel John Cale. Mi wnaeth fersiwn o 'Heartbreak Hotel' a oedd yn wahanol a dweud y lleia, yn enwedig gan fod ganddo ddol wedi ei chwythu i fyny efo fo ar y set!

Cymaint oedd llwyddiant *Jam* nes bod y rhwydwaith wedi penderfynu ei ailddarlledu dros fisoedd yr haf. Mi gymrodd pob cwmni masnachol arall trwy Brydain y gyfres, heblaw am un, HTV West. Honno oedd yr hollt amlyca y dyddiau hynny, mewn gwirionedd. Nid rhyngon ni a BBC Cymru, ond rhyngon ni a HTV West, ein chwaer gwmni. Credaf eu bod nhw'n teimlo eu bod yn cael eu cysylltu'n rhy agos â ni yng Nghymru, a'u bod o ganlyniad yn colli eu hunaniaeth. Ffordd amlwg o ddangos ei bod yn gwmni ar wahân oedd trwy wrthod derbyn un o gyfresi HTV Cymru.

Oedd, roedd diwedd cyfnod yn agosáu. Gyda dyfodiad S4C, ni fyddai HTV Cymru yn darlledu rhaglenni Cymraeg wedyn. Newidiodd hynny HTV yn sicr. Gydag agor Croes Cwrlwys a'r arian ychwanegol ddaeth yn sgil hynny, roedd mwy a mwy o bwyslais ar gyfresi Saesneg a chyd-gynyrchiadau costus. *Treasure Island*, er enghraifft, lle bu'r criw allan yn y Bahamas am fis yn ffilmio. Ac yn ogystal â chynhyrchiadau rhyngrwyd, dyma pryd roedd HTV yn arbrofi gyda'i gyfres sebon Saesneg ei hun, *Taff's Acre*. Bu hynny'n gyfle i mi gwrdd â rhywun a welais ar lwyfan flynyddoedd ynghynt, sef Emrys James. Actor Shakespeare o fri a welais yn Stratford, rŵan yn eistedd wrth f'ymyl yn adran golur HTV. Roedd wedi cael rhan yn *Taff's Acre*. Ond, doeddwn i ddim yn gallu magu digon o hyder i fynd i siarad ag o! Hyd heddiw, dwi'n difaru i mi beidio â dechrau sgwrs a dweud wrtho i mi ei weld yn Stratford a chymaint roeddwn i'n ei edmygu fel actor.

Roeddwn yn fodlon iawn ildio rhaglen bop i Gareth Roberts, ond, eto, disgwyliwn y cawn ambell raglen Gymraeg arall yn ei lle ar S4C. Ces fy mrifo wrth i ambell un awgrymu 'mod i'n rhy fawr a phwysig i gyflwyno rhaglenni Cymraeg bellach, ac mai'r Saesneg yn unig oedd yn ddigon da i mi. Gallaf sicrhau pawb nad fy newis i oedd peidio â chyflwyno rhaglenni Cymraeg.

Erbyn 1982, roeddwn wedi derbyn mai ym myd teledu y byddwn i'n gweithio. Tan hynny, roedd teimladau'n corddi o dro i dro y dylwn efallai fynd 'nôl i ddysgu. Wedi'r cyfan, dyna oedd y ddealltwriaeth pan gefais i'r cyfle i fynd o Frynford i'r Central School. Cytundeb blwyddyn yn unig oedd yn cael ei gynnig gan HTV. Pwy a ŵyr beth fyddai'n digwydd ac amser ansicr, nerfus iawn, oedd yr wythnosau yn arwain at adnewyddu cytundeb.

Eitem *Seren Wib* yng nglwb tennis Caerdydd – dw i'n edrych fel sa'n well gen i fod ar y cwrt yn chwarae nag yn cyflwyno!

Wrthi'n cyfweld ar gyfer HTV 'nol yn y wythdegau

Telethon '88 – Nerys Hughes

Telethon '88. Un o jobsys cynta Aled Jones fel cyflwynydd

Gweithio dydd Nadolig yn yr wythdegau

Telethon '88. Ruth Madoc. Dyma be' oedd syrpreis

Telethon '88. Owen Money, fi, Ruth Madoc ac Aled Jones

Telethon '90 gydag un arall o fy arwyr, Michael Aspel.

Ar un o dripiau rygbi HTV i Ffrainc. Mike Roberts, Iestyn Garlick, Dave Glen, Artie Thomas a fi

Cyfweld a Steve Ovett. Eitem a ddangoswyd ar y rhwydwaith ond heb fy llais na'n wyneb

Ffilmio yn Brands Hatch efo'r gyrrwr rasio Tim Davies

Yng ngadair fy arwr, Simon Templar, y gyfres bûm yn ffodus i'w gweld yn cael ei ffilmio yn 1962

Seren Wib. Un or *perks* oedd profi ceir fel y Porsche 924

'Nôl yn yr ysgol. Yn amlwg tydi'r ferch i'r dde i mi ddim yn rhy impressed!

Y gyfres *Heroes*. Gary Player a Gareth Edwards

Gyda Gillian Elisa. *Dawn* – rhaglen arbennig i ddathlu gwaith yr actores, Harriet Lewis. Beth sa'n Nhad yn ddeud a finna'n fab y mans!

Pobol Port efo Sara Harris Davies

Y gyfres *Dibendraw* i S4C. A dyma'r agosa yr es i at yr awyren

Pacio efo Gwenda Richards

Yr Aifft

Dim syniad ble! Ond unwaith eto, y job gorau yn y byd!

Affrica, efo'r ddynes dweud ffortiwn a Gwenda

Yr Aifft. Y camel druan!

Pacio. Ar y trên yn yr India

Pacio. Mwynhau cinio yn Yr Aifft efo'r cyfarwyddwr, Rhodri Edwards

Penblwydd Hapus Orig Williams. Gwireiddu breuddwyd – llun efo tîm pel-droed enwog Nantlle Vale yn y chwedegau, gan gynnwys y chwedlonol, Tarw Nefyn!

Cledrau Coll, Afon Wen. Y lle oera yn y byd! Huw Davies, Ifor Humphreys a Meredydd Owen. Pa ffordd mae'r gwynt yn chwythu?

Un o'r uchafbwyntiau. Cyfweld fy arwr, Hank Marvin

Mae'r wyneb yn dweud y cyfan!

Ar achlysur enwi trên diesel yn Tŷ Hafan. Trueni nad oedd hi'n injan stêm!

Y Fideo. Sut i yrru trên stêm. Llafur cariad yn wir!

Cyfweld Anthony Hopkins

Rhys Ifans a Dewi Pws. Am noson!

Pen-blwydd fy nhad yn 80

Y gyfres *Heroes*. Yr unig lun ohonaf a oedd yn stydi Nhad. Ei arwr mawr, yr Arglwydd Donald Soper

Priodi Angela, Ebrill 20, 1992

Fy hoff lun gyda fy rhieni. Gŵyl y Gerddi, Glyn Ebwy, 1992

Wedi ymlâdd,
Catrin a fi

Byw yn yr Ardd. Dw i wedi etifeddu diddordeb fy nhad mewn garddio ac mae Catrin wedi etifeddu fy niddordeb i – sef dim!

Ar achlysur fy nhad yn derbyn ei wisg wen, Eisteddfod Abergwaun, 1986. Fi, Nhad, Tilsli a Mam

Ar wyliau gyda'r teulu, yn Florida

Ar achlysur Priodas Aur fy rhieni yn 1997. Yn sefyll: Martyn, Nhad, Catherine, fi, Catrin.
Yn eistedd: Gwenno, Angharad, Mam ac Angela

Fy arwyr roc a rôl, Status Quo

Un o'r cyfresi nes i fwynhau gweithio arni fwya, *Time Out*, gyda'r cyfarwyddwr, Sian Clement a'r criw yn Aberystwyth

Heroes. Bryn a'i arwr, Mark Hughes

Cyflwyno yng Nghlwb *Double Diamond*, Caerffili, yn yr wythdegau

Cyflwyno, Neuadd Dewi Sant, Caerdydd

Yr unigryw, diolch i'r drefn, Dewi Pws

Guard am ddiwrnod ar y *Great Western*. Pleser pur!

Y Briodas Fawr. Gwên i'r camera, ond y tu ôl i'r wên, ofn a phanic!

Ceisio edrych wedi ymlacio – ond yn amlwg yn hollol anghyfforddus

PENNOD 16

ELVIS AC ALED JONES

Yn nyddiau cyntaf S4C, gadawodd nifer o'm ffrindiau HTV i sefydlu eu cwmnïau eu hunain neu i weithio i'r cwmniau annibynnol newydd. Roedd hyn yn fy ngorfodi innau i holi fy hun a ddylwn i wneud yr un peth? Ond dydw i erioed wedi bod yn berson i gymryd risg, felly penderfynais beidio â symud.

Cynnig o fath gwahanol ddaeth i mi yn sgil dechrau S4C. Roedd y BBC yn chwilio am rywun i gymryd lle Robin Jones, a oedd wedi ei benodi yn un o gyhoeddwyr cynta'r sianel newydd. Cefais wahoddiad i fynd draw i'r BBC a chael sgwrs â Teleri Bevan, un o hoelion wyth y gorfforaeth. Cefais gynnig y swydd.

Ond, er gwaetha'r balchder o gael y cynnig, a chyfarfod â phobl fel Hywel Gwynfryn, Huw Llywelyn Davies a Roy Noble yn y BBC, holais fy hun tybed faint o gyfleoedd a gawn i i gyflwyno cyfresi amrywiol â phobl brofiadol fel y rhain yn rhan o'r Gorfforaeth yn barod. Byddai rhaglenni chwaraeon yn mynd i Huw, rhai Saesneg yn mynd i Roy a Hywel yn cael y rhaglenni adloniant Cymraeg.

Felly, wedi pwyso a mesur, gwrthodais y cynnig ac aros yn HTV yn y gobaith y byddai mwy o gyfle a mwy o amrywiaeth i mi yn y fan honno. Cefais gynnig cytundeb newydd tair blynedd wedyn gan HTV, ac fe newidiwyd fy nhelerau gwaith i wyth shifft gyhoeddi bob pythefnos, er mwyn fy rhyddhau i wneud gwaith arall.

Yn rhyfedd ddigon, daeth cyfle'n weddol gyflym i wneud rhaglen i S4C. Gofynnodd Owen Gruffudd – 'y Capten' fel y câi ei alw – i mi fynd gydag o i America i wneud rhaglen awr gyda Chôr Meibion De Cymru yn Pittsburgh. Roedd tua 300 yn y côr, a buon ni allan yno am ryw wyth niwrnod. Dyma fy nghyfle cyntaf i fynd i America, gwlad a oedd wedi dylanwadu cymaint arna i ar hyd y blynyddoedd, a gwlad dw i wrth fy modd â hi o hyd.

Nid Pittsburgh, efallai, oedd y man y baswn i wedi dewis ymweld ag o gynta yn America, ond gwir yw'r dywediad, 'Os ydych chi'n hoffi Pittsburgh, byddwch wrth eich bodd efo gweddill America'! Roedd yn lle gwahanol, a mannau ar y cyrion, fel Scranton – lle ffilmiwyd golygfa agoriadol *The Deer Hunter* – yn debyg iawn i Port Talbot.

Rhan o'r rhaglen oedd rhoi cyfle i aelodau'r côr gael blas ar y gwaith roedden nhw'n ei wneud bob dydd gydag aelodau a wnâi'r un gwaith â nhw yn America. Aeth plismon o Ddinbych y Pysgod allan am y dydd gyda Heddlu Pittsburgh, postman o gefn gwlad i ganolfan ddosbarthu'r ddinas a fferyllydd o Landeilo i *drug store* anferth. Cawsom gyfle i weld gêmau hoci iâ a phêl-droed Americanaidd a'r holl beth yn mynd â fi 'nôl i sinemâu Aberystwyth ac apêl a rhamant pob peth Americanaidd.

Roeddwn yn barod i ddod 'nôl, pan es i siopa am anrheg i Angharad, merch fy chwaer. Wrth i mi gerdded o amgylch y siop anferth yma, roedd y gerddoriaeth yn gwneud mwy a mwy o argraff arnaf. Doeddwn i ddim yn siŵr pwy oedd yn canu, ond cofiaf feddwl 'am lais!' Frank Sinatra oedd o, rhywun na fyddwn i'n disgwyl y byddwn yn mwynhau ei gerddoriaeth o gwbl. Ond, dyna ddechrau gwerthfawrogi ei ganu o. 'Nôl yng Nghaerdydd, mi es yn syth i brynu ei *Greatest Hits* ac yna recordiau eraill wedi hynny.

Mi fûm i'n lwcus i'w weld mewn cyngerdd dair gwaith yn yr wythdegau. Does neb yn debyg iddo o ran techneg, amseru, anadlu ac ati, ond hefyd, does neb yn gallu dweud stori mewn cân yn well nag o.

Roedd y daith i Pittsburgh yn fan cychwyn diddordeb sy'n parhau hyd heddiw a dweud y gwir. Tra oeddwn mewn siop yno, gwelais gasgliad o luniau rhai o sêr Hollywood, wedi eu fframio, a llofnod wrth ymyl pob llun. Meddyliais, 'W, faswn i ddim yn meindio gwneud hynny'. Felly, ar ôl dod adra, mi ges afael ar hen lyfrau llofnodion, hen luniau o'r sêr a mynd ati i roi'r cyfan mewn ffrâm.

Wrth i hyn ddatblygu, deallais bod modd cael gafael ar lyfr yn cynnwys cyfeiriadau rhai o'r enwau mawr, a bod nifer ohonyn nhw'n barod iawn i ateb llythyron. Dyna ddechrau, felly, anfon llythyrau at Fred Astaire, Ginger Rogers, Katherine Hepburn – darllenais lyfr ganddi yn disgrifio ei rhan yn *The Corn is Green*, gan Emlyn Williams. Cyfeiriai at hogyn bach a oedd yn actio gyda hi yn y ffilm, sef Ian Saynor, gan holi tybed lle roedd o erbyn hyn. Ysgrifennais ati yn diolch iddi am ei chyfraniadau i'w ffilmiau a rhoi gwbod iddi bod yr hogyn bach hwnnw a fu gyda hi yn *The Corn is Green* ar y pryd yn actio mewn cyfres newydd sbon ar S4C o'r enw *Dinas*! Cefais lythyr yn ôl, yn diolch yn fawr i mi am gysylltu ac am y wybodaeth. Ac, wrth gwrs, roedd gen i ei llofnod ar waelod y llythyr hwnnw.

Ysgrifennwn yn gyson at ddau o'm harwyr yn Hollywood, sef James Stewart a Gene Kelly. Ar un achlysur, roeddwn i fod i ddawnsio yn ystod un o raglenni *Seren Wib*, ac ysgrifennais at Gene Kelly i ofyn am gyngor. Daeth ateb digon clir yn ôl:

'If you're brave enough to start dancing at your age, I wish you all the luck in the world!'

Ond i fynd 'nôl at Sinatra. Fo yw'r perfformiwr gorau i mi ei weld, mae'n siŵr, er mai fy siom fawr yw na chefais gyfle o gwbl i weld Elvis yn perfformio. Mae'n bosib y byddai o'n cymharu'n dda â Frank Sinatra fel perfformiwr. Yr agosa y dois i at weld y Brenin oedd mewn confensiwn i ddynwaredwyr Elvis ym Mhorthcawl. Pawb o bedwar ban byd yno wedi eu gwisgo fel Elvis a chystadlaethau di-ri fel yr Elvis du gorau, yr Elvis ifanc gorau, yr Elvis Cymreig gorau ac yn y blaen. Ar ddiwedd yr achlysur, gwnes gyfweliad â Kraig Parker, y gŵr a gaiff ei ystyried yn ddynwaredwr Elvis gorau'r byd ac sy'n perfformio'n gyson yng nghasinos Las Vegas. Cafodd ei eni heb fod ymhell o'r lle y cafodd Elvis ei eni ac roedd yn siarad ac yn edrych yn union yr un fath ag o hefyd. Wrth i mi ei holi, dechreuais feddwl sut i orffen y sgwrs a phan ddes i'r fan honno, dywedais:

'Well, there's only one way to bring this conversation to a close; as the King himself would say, "Thank you very much".'

Roeddwn wedi gwneud y dynwarediad gorau oedd posib i mi ei wneud o'r ffordd y byddai Elvis yn dweud diolch yn fawr. Ond yn syth wedi i mi ddweud y geiriau, roedd y criw i gyd yn chwerthin yn braf a Kraig Parker yn edrych yn hollol syn arna i. Y cyfan y gallwn i ei wneud oedd holi pam.

Yn ôl pob tebyg, roeddwn yn swnio yn debycach i Tommy Cooper na Elvis a phawb yn eu dyblau wrth fy nghlywed! A Kraig Parker druan heb unrhyw syniad beth ar y ddaear y ceisiwn ei wneud. Dyna benderfynu gadael pob dynwarediad i'r bobl broffesiynol o hynny ymlaen!

Wedi creu'r rhaglen yn America, ychydig iawn o gyfleoedd a gefais i wneud fawr ddim ar S4C am flynyddoedd, heblaw am raglenni unigol achlysurol neu raglenni Eisteddfod yr Urdd, gydag un o'm hoff gynhyrchwyr, Dorothy Williams.

Yn ystod Eisteddfod yr Wyddgrug 1984, dysgais wers bwysig iawn – wrth aros gyda chriw dros nos, mae'n bwysig cyrraedd y gwesty'n gynnar, neu does wybod pa stafell fydd ar eich cyfer!

Emyr Wyn a fi oedd dau o'r cyflwynwyr. Erbyn i mi gyrraedd y gwesty reit neis ar gyrion yr Wyddgrug, roedd o wedi cyrraedd yn barod. Deallais mai 16b oedd fy stafell ac i fyny â fi. Er mwyn cyrraedd 16b roedd yn rhaid mynd drwy 16, sef ystafell Emyr Wyn. Wedi agor drws yr ystafell honno, dyna lle roedd 'my lord' yn gorwedd ar wely pedwar postyn crand ynghanol yr ystafell.

'Mae dy stafell di fan'na!' meddai, gan bwyntio at ddrws yn y gornel.

Wedi ei agor, doedd yr ystafell yn fawr mwy na chwpwrdd dillad! A dyna fu 'nghartre i am wythnos, drws nesa i stafell foethus Emyr Wyn. Wedi hynny, cyrhaeddwn yn gynnar bob amser i 'ngwesty.

Un stori arall ynglŷn ag Emyr Wyn sy'n aros yn y cof – enghraifft arall o beth na ddylwn fod wedi ei wneud, yn anffodus!

Roeddem ein dau yng nghlwb HTV, a gŵr ifanc yno'n sgwrsio â ni, gŵr o'r enw Nic Parry. Roedd newydd ddechrau darlledu, a dyna lle roedd Emyr a fi'n cynnig cynghorion o ddifri iddo.

'Mae'n rhaid i ti benderfynu,' meddwn i. 'Y gyfraith neu ddarlledu. Elli di byth wneud y ddau'n llwyddiannus a gorau po gynta y gwnei di ddewis rhyngddyn nhw.'

Nic Parry, wrth gwrs, yw'r un sydd wedi llwyddo'n well na neb erioed i gyfuno dwy yrfa. Nid yn unig mae'n dal i ddarlledu, ac yn un o'r goreuon, mae bellach yn farnwr! Diolch byth na dderbyniodd fy nghyngor.

Ond y cyfresi Saesneg oedd fy mara menyn drwy gydol yr wythdegau. Ac uchafbwynt y rheini oedd menter arloesol ITV, *Telethon* yn 1988. Roedd ITV wedi gweld llwyddiant *Plant Mewn Angen* ar y BBC ac yn meddwl y dylen nhw wneud cyfraniad hefyd. Defnyddiwyd fformat *Telethon* o'r Unol Daleithiau ac fe grëwyd rhaglen a oedd i redeg o saith o'r gloch ar nos Sul tan ddeg o'r gloch y nos Lun ganlynol. Daeth Emyr Daniel ata i a gofyn oedd gen i ddiddordeb i'w gyflwyno. Neidiais at y cyfle. Ruth Madoc ac Aled Jones oedd i gyflwyno gyda fi.

Roeddwn yn hen gyfarwydd â Ruth Madoc, ac yn hoff iawn ohoni ar *Hi-Di-Hi*. Roedd enw Aled – a'i lais – yn gyfarwydd hefyd, wrth gwrs. Ar y pryd, roedd bron yn ddeunaw, ond wedi rhyddhau 16 albwm yn barod a *Snowman* wedi cyrraedd rhif 5 yn y siartiau ryw dair blynedd ynghynt. Dyma fyddai ei gyfle mawr ym myd teledu.

Mae'n anodd coelio heddiw, ond doedd dim darlledu drwy'r nos yn y dyddiau hynny, ac felly roedd yr holl arbrawf yn gyffrous ac arloesol ac yn cynnig cyfle unigryw i'r gynulleidfa aros ar eu traed drwy'r nos a throi'r cyfan yn achlysur i'r teulu a'u ffrindiau. Heb sôn am fod yn her i'r cyflwynwyr ar y pryd.

I fyny aeth Aled a fi, felly, i'r Café Royale yn Llundain ar gyfer lansio *Telethon*. Roedd y lle'n llawn sêr, a'r Aled ifanc wedi dotio at un grŵp o ferched ifanc ac yn gwybod eu henwau i gyd. Deallais wedyn mai merched tudalen 3 y *Sun* oedden nhw! Yno hefyd roedd Carol Vorderman a oedd ar y pryd, wrth gwrs, ar raglen *Countdown*.

Roeddwn yn gwybod iddi gael ei magu yng ngogledd Cymru ond heb fod yn sicr lle'n union. Felly, pan ddaeth cyfle, i fyny â fi ati a dechrau sgwrs er mwyn olrhain ei gwreiddiau.

'Oh, I know who you are!' meddai wrtha i, er mawr syndod. 'You used to go to the Stables Nightclub in St Asaph. My friend and I used to go there and we'd point over at you and say, "I want the job he's got".'

Wel, am syndod! Petawn i ond yn gwybod!

Roedd gweithio gyda Ruth Madoc yn brofiad gwahanol eto. Doeddwn i ddim yn deall tan hynny ei bod yn dyslecsic a'i bod yn amhosib iddi ddarllen *autocue*. Roedd ei gweld yn perfformio gan wybod hynny'n gryn ryfeddod.

Am fod yr holl syniad mor newydd a chyffrous roedd yr ysbryd ymhlith y criw cynhyrchu a'r criw technegol yn anhygoel. Roedd pawb am fod yn rhan ohono, o'u gwirfodd. Crëwyd cryn gyffro wedyn wrth i ni ddeall bod 27 awr o ddarlledu wedi codi dros dri chwarter miliwn yng Nghymru.

Mi wnes gyfweliad ar gyfer rhaglen newyddion *Report Wales* wedi llwyddiant y gyfres gyntaf. Wedi i'r eitem gael ei darlledu, cwrddais â'r gohebydd yn y coridor un dydd a dywedodd iddo fynd i drwbwl oherwydd y cyfweliad.

'Why?' gofynnais.

'Because I said your name wrong and said Affon instead of Arfon. Emyr Daniel called me in to tell me off.'

Roedd y fath beth yn digwydd yn y dyddiau hynny. Roedd rhywun yn cymryd gofal dros ynganu cywir. Mae'r camynganu enwau Cymraeg yn dal i 'ngwylltio i heddiw. Yn y cyfnod hwnnw, mi fyddai ITN yn ffonio'n gyson i ofyn sut roedd ynganu rhyw air Cymraeg, ac yn mynd i'r drafferth i'w gael yn gywir. Mi fydda i'n gwingo wrth glywed yr ymdrechion i ddweud enw Bryn Terfel heddiw, er enghraifft. Yn fwy aml na pheidio, mae'n cael ei alw'n 'Tyrffl'. Pa mor anodd yw cymryd y 'terr' o *terrace* a'r 'vel' o *velcro* a'u rhoi at ei gilydd?

Gwnaed *Telethon* ddwywaith wedyn, yn 1990 a 1992. Ond doedd y rheini ddim yr un fath â'r un cyntaf. Erbyn yr ail, roedd y criw technegol yn benodol yn dechrau holi cwestiynau. I ble âi arian yr hysbysebion? Roedd pawb yn rhoi o'u hamser, roedd nifer y gwylwyr yn cynyddu, y cwmnïau a oedd yn hysbysebu yn elwa a châi ITV yr arian. Pam nad oedd ITV, felly, yn cyfrannu fel y gwnâi eu staff drwy gynnig eu hamser am ddim?

Cafwyd cyfaddawd, a'r gweithwyr yn dweud y byddent yn gofyn am gael eu talu am y gwaith, ond yn ei gyfrannu wedyn at elusen o'u dewis. Erbyn y drydedd gyfres, roedd costau'r rhaglen wedi cynyddu cymaint, roedd bron yn fater o roi'r arian yn uniongyrchol i'r elusennau heb wneud y rhaglen o gwbl.

Yn swyddfa *Telethon* un pnawn, roeddwn yn digwydd bod yn sgwrsio â rhai o'r tîm cynhyrchu. Ar y ddesg o'm blaen roedd pentwr o lythyrau gan bobl yn gofyn am arian i helpu eu hachosion. Cydiais yn yr un oedd ar ben y pentwr, a gweld ei fod yn lythyr gan ddyn o'r enw Dominic Jenkins.

Darllenais y llythyr, a deall ei fod yn codi arian tuag at adeiladu hosbis i blant yng Nghymru. Doedd yr un ar gael drwy'r wlad er bod rhyw 13 yn Lloegr. Y peth cynta i fynd trwy fy meddwl oedd rhyfeddu bod yn rhaid i hosbis i blant ddibynnu ar arian gan elusen.

Mi gysylltais wedyn a dweud y byddwn yn fodlon cefnogi, drwy gyflwyno cyngherddau neu beth bynnag. Ces y cyfarfod cynta â Dominic Jenkins a, chyn hir, roeddwn yn rhan o'r broses o godi arian ac yn y pen draw yn ymddiriedolwr. Fel y dysgais wrth fod yn bostman dros gyfnod y Nadolig, y rhai oedd â'r lleia i'w roi roddodd fwya tuag at agor yr hosbis. Daeth cefnogaeth syfrdanol o bentrefi cymoedd y De a chryn dipyn yn llai o ardaloedd mwy breintiedig.

Un o'r cyngherddau mwyaf i ni ei gynnal er mwyn codi arian oedd yr un yn y CIA, Caerdydd, a'r byd enwog Pavarotti yn serennu yno. Rhaid dweud, dydw i erioed wedi dod ar draws unrhyw un a oedd yn bwyta cymaint cyn, yn ystod, nac ar ôl cyngerdd! Yr hyn oedd yn fy synnu fwyaf oedd ei arfer o fwyta grawnwin yn ddi-baid. Roedd hynny'n ocê, ond anodd derbyn ei arferiad o'u bwyta a phoeri'r pips i bob cyfeiriad wedyn! Does bosib nad oedd ganddo ddigon o arian i brynu grawnwin heb hadau.

Yno hefyd y noson honno roedd y Dywysoges Diana, a oedd wedi derbyn gwahoddiad i fod yn noddwr i'r hosbis plant. Roedd hi'n hyfryd ac yn sgwrsio'n ddigon naturiol gan holi'n ddeallus. Ond am y rhai oedd gyda hi, doeddwn i ddim yn gallu dygymod â'u hagwedd nhw. Roedden nhw gymaint o ddifri, ac yn siarad â ni fel plant bach i wneud yn siŵr ein bod yn dweud ac yn gwneud popeth yn gywir.

Atgoffai hynny fi o achlysur arall pan ddois ar draws aelod o'r teulu brenhinol. Gwobrau Bafta yn Neuadd Dewi Sant oedd yr achlysur, a minnau wedi cael fy ngwahodd i gynhesu pethau cyn i'r noson go iawn ddechrau, dan arweiniad Elinor Jones a Max Boyce. Dyma fi'n mynd ati i esbonio i'r gynulleidfa beth oedd trefn y noson. Rhan o hynny oedd esbonio beth fyddai'r gwestai arbennig, y Dywysoges Anne, yn ei wneud a sut roedd disgwyl i ni ymateb iddi. Esboniais sut y byddai hi'n cerdded ar hyd y llwyfan, ac er mwyn ysgafnhau pethau rywfaint, ceisias gerdded yn debyg iddi, a phawb, diolch byth, yn chwerthin. Wedyn, dangosais lle y byddai hi'n eistedd, gan fynd at y sedd a smalio ei glanhau gan na allai tywysoges eistedd ar gadair mor lychlyd!

'She can't sit there with all this muck on it!' meddwn i wrth lanhau'r sedd.

Diolch byth, fe aeth y *warm-up* yn hwylus.

Ar ddiwedd y noson, roedd cyfle i'w chyfarfod.

'This, Your Highness, is Arfon Haines...'

'Oh yes, I know who you are! You did the warm-up. I was standing at the back watching!'

Am eiliad roeddwn isho i'r ddaear fy llyncu!

Ond, diolch byth, roedd hi'n hwyliog iawn am y peth ac yn derbyn y cyfan.

Wedi cyngerdd codi arian i Tŷ Hafan, ac o ganlyniad i sawl ymgyrch codi arian arall, yn y diwedd, rhwng popeth, codwyd y ddwy filiwn a hanner o bunnau roedd eu hangen i adeiladu'r lle, a diwrnod balch iawn oedd y diwrnod hwnnw yn 1999 pan gafodd ei agor. Dros ddeng mlynedd yn ddiweddarach, dw i'n dal i deimlo'n chwithig bod y fath le'n gorfod dibynnu ar godi arian drwy elusen er mwyn cadw'i ddrysau ar agor.

PENNOD 17

LLYTHYRAU A RAINBOW

WRTH I MI FAGU mwy a mwy o brofiad o gyflwyno ar deledu, rhwng y cyfresi, y rhaglenni unigol a'r gwaith cyhoeddi, roeddwn yn dechrau dod i ddeall pŵer teledu a'r ffordd roedd yn cymryd ei le ym mywydau pob dydd y gwylwyr. Mae'n siŵr bod hyn i'w weld amlycaf, neu'n fwyaf uniongyrchol, i mi trwy'r gwaith o gydgysylltu rhaglenni.

Y man cyntaf i weld hynny oedd ar y stryd, pan fyddai pobl yn dod ataf ac yn dechrau sgwrsio fel petaen ni'n ffrindiau oes. Doedd gen i erioed broblem efo hynny, ond mwy lletchwith o lawer oedd sgwrsio am *Coronation Street* neu *Emmerdale*. Roedd pawb yn grediniol 'mod i'n gwybod manylion stori pob pennod ac o ganlyniad yn gwybod beth oedd i ddod nesa. Ofer oedd ceisio gwadu hynny wrth i bobl geisio 'mherswadio i rannu'r cyfrinachau nad oeddwn yn eu gwybod beth bynnag!

Dechreuodd y llythyrau wedyn, ac nid y rhai byr, cwrtais, yn dweud diolch am hyn a'r llall, ond y rhai cyson, hir, a oedd yn arwydd o fwy na gwerthfawrogiad yn unig. Mil o eiriau gan ddynes o Ddulyn.

Mi ddechreuodd yn ddigon diniwed: 'Rwy'n dy hoffi ar y teledu...' ac ati. Roeddwn i, wrth gwrs, yn cydnabod llythyrau, ac mi ysgrifennais yn ôl ati gan ddiolch iddi am gysylltu. Ysgrifennodd ata i wedyn, ond wnes i mo'i hateb yr eildro. Wedyn, daeth llythyr yn gofyn pam i mi ei hanwybyddu drwy beidio ag ateb yr ail lythyr. Wedyn, dechreuodd anfon arian ataf drwy'r post. Erbyn hynny, roeddwn wedi tynnu sylw Mansel Jones, Pennaeth y Wasg yn HTV, at y sefyllfa.

Daeth llythyr arall, y tro hwn â £100 ynddo, yn dweud y byddai hi yn Abergwaun nos Fercher ac os na fyddwn yno i'w chyfarfod, doedd hi ddim yn siŵr beth wnâi hi â hi ei hun. Cymrodd Mansel Jones at y mater wedyn ac ymateb yn swyddogol ar ran HTV.

Ond beth oedd yn mynd trwy feddwl y ddynes druan? Beth oedd yn ei bywyd i achosi iddi gysylltu ag wyneb ar y teledu mewn modd mor eithafol? Roedd tristwch ei sefyllfa a'i hunigrwydd mor amlwg.

Wedyn, daeth llythyrau gan wraig oedrannus. Roedd yn gwneud sylwadau ynglŷn â'r dillad roeddwn yn eu gwisgo, yn hoffi'r tei yma, neu'r crys arall ac ati. Roedd hi'n ddigon annwyl a diniwed. Ac, yna, yn sydyn, ni ddôi rhagor o lythyrau ganddi. Ymhen rhai wythnosau, cefais lythyr gan ei merch yn dweud bod ei mam yn wael yn yr ysbyty yng Nghas-gwent. Dywedodd ei bod wedi gofyn a fyddai unrhyw fodd i mi fynd i'w gweld yno, petawn yn digwydd bod yn yr ardal.

Roeddwn wedi priodi erbyn hynny, ac felly dyma Angela a fi'n mynd draw i'w gweld a chael amser dymunol tu hwnt yn ei chwmni. Roedd yn syndod gweld cymaint roedd hi'n gwerthfawrogi'r ymweliad.

Rhagor o gwestiynau ddaeth i'm meddwl i wedyn. Sut roedd pobl yn gallu ffurfio'r fath berthynas â rhywun nad oedd ond ar y sgrin am lai na munud ar y tro ychydig o weithiau mewn diwrnod? Wrth ein gweld, pam roedden nhw am gysylltu? Pa angen fyddai'n cael ei ddiwallu?

Mae'n siŵr mai'r gyfrinach oedd ein bod yn rhan o ystafell fyw'r bobl hynny ac yn eu tywys drwy eu hoff raglenni. Ac, yna, yn y dyddiau hynny, yn cloi eu nosweithiau trwy ddod â'r gwasanaeth i ben am y nos a dweud 'Nos da, cysgwch yn dawel', cyn eu hatgoffa i ddiffodd eu setiau teledu.

Byddai pobl di-ri yn dweud wrtha i:

'Dydan ni ddim yn mynd i'r gwely nes eich bod chi'n dweud nos da wrthan ni! Ac rydan ni wedyn yn ateb drwy ddweud 'Nos da, Arfon', cyn mynd i fyny'r grisiau.'

Mae hynny'n sicr yn rôl sydd wedi diflannu'n llwyr erbyn hyn, gan nad oes cyhoeddwyr ar sgrin a gan fod cymaint mwy o sianeli a llai o bosibilrwydd o fagu perthynas â'r gynulleidfa beth bynnag. Dyna'r math o wasanaeth mae Chris Needs yn ei gyflawni mor llwyddiannus ar Radio Wales gyda'i raglen hwyr y nos yntau.

Ond roedd ochr arall i'r dylanwad hwn hefyd, wrth gwrs, ochr mwy ysgafn a doniol ac, ambell waith, ochr a oedd yn mynd i greu trafferthion!

Mae Ebrill y cyntaf bob amser yn ddiwrnod pan fydd trybini wrth law, ac mi roedd ar y diwrnod hwnnw pan benderfynais wneud fy nghyfraniad fy hun i dynnu coes. Roeddwn wrthi'n cau'r gwasanaeth am y nos ac yn barod i ddweud fy nos da. Ychwanegais neges yn dweud ei bod yn ddechrau Welsh Summer Time y diwrnod hwnnw, ac i bawb gofio troi eu clociau. Mi bwysleisiais y dyddiad, Ebrill y cyntaf, tua phum gwaith yn ystod y munud a gymrodd hi i gyhoeddi'r neges. A dyna fi'n tynnu'r gwasanaeth oddi ar yr awyr. Roedd pawb yn chwerthin yn braf yn y stiwdio gyhoeddi ac adre â ni i gysgu.

Y bore canlynol, bore Ebrill y cyntaf, wrth i mi gyrraedd

y gwaith, cefais neges i fynd i weld y Pennaeth yn syth. A dyna gael fy rhoi yn fe lle! Roedd rhieni wedi ffonio i gwyno am iddynt anfon eu plant i'r ysgol awr yn fuan a phob math o lanast yn sgil hynny!

'Beth petai'r plant hynny wedi bod mewn damwain, Arfon? Ti fyddai'n gyfrifol!'

Bu'n rhaid i mi dderbyn fy nghyfrifoldeb ac ymddiheuro, er nad oeddwn i'n gallu credu i neges mor syml ar y teledu gael y fath effaith. Mae'n amlwg nad oeddwn i'n deall gymaint oedd pŵer teledu.

Yn ddigon doniol, fe gyrhaeddodd yr holl beth raglen newyddion *Report Wales* y noson honno hefyd. Roedd un cwmni lori wedi cysylltu â'r rhaglen i ddiolch i HTV am roi'r fath neges, gan fod 5 o'i gyrwyr wedi cyrraedd y gwaith mewn pryd am y tro cyntaf erioed!

Rhan o'm dyletswydd, dan ofal adran y Wasg, oedd mynd allan i ysgolion i gwrdd â'r plant ac ateb eu cwestiynau ynglŷn â HTV. Mewn un ysgol gynradd ym Mhen-y-Bont ar Ogwr, roedd pob dim wedi mynd yn hwylus, a daeth cyfle i'r plant ofyn cwestiynau. Cododd un bachgen yn y gornel ei law, a theimlais y prifathro wrth fy ochr yn gwingo o weld pwy oedd y bachgen. Ond ymlaen â fo â'i gwestiwn, neu ei sylw i fod yn fanwl gywir.

'Every time you're on telly, my parents argue!'

Gwingodd y prifathro hyd yn oed yn fwy, a rhai o'r staff. Roeddwn i am wybod pam!

'Because my father says that you wear a wig but my mother says it's your own hair!'

Roedd pawb yn rholio chwerthin ac mi alwais i'r bachgen i ddod i'r ffrynt a'i wahodd i dynnu cornel o 'ngwallt. Er mawr ddifyrrwch i bawb cydiodd yn fy ngwallt yn eithaf ffyrnig a'i dynnu'n gadarn.

Daeth cyfle hefyd i gyflwyno o lwyfan Eisteddfod Llangollen a wnes i ddim oedi eiliad cyn derbyn. Roeddwn yn ymwybodol fy mod yn dilyn yn ôl traed pobl adnabyddus a galluog tu hwnt, fel R Alun Evans, Robin Jones a Frank Lincoln, ond roedd yn rhaid mentro. Roeddwn eisoes wedi cyflwyno rhaglenni HTV o'r Eisteddfod, gyda chyflwynydd dw i'n ei hedmygu'n fawr ac sy'n ffrind da i mi erbyn hyn, Nicola Heywood Thomas. Felly, draw â fi i Langollen.

Roeddwn yn gyfarwydd, o ran y darlledu ac arwain cyngherddau ac ati, a gorfod symud yn ôl a blaen rhwng y Gymraeg a'r Saesneg yn ystod cyflwyniadau. Dw i'n credu mai yn Llangollen oedd yr unig dro y gallaf ddweud i sicrwydd i mi gael y balans yn hollol gywir!

Wedi i mi wneud un sesiwn o gyflwyno, a mynd oddi ar y llwyfan, daeth rywun o S4C ataf, i'm hatgoffa yn garedig fod y cyfan yn cael ei ddarlledu ar sianel Gymraeg ac a oedd modd i mi gynyddu fy nefnydd o'r Gymraeg.

Wrth i mi droi oddi wrth y person hwnnw, daeth un o drefnwyr yr Eisteddfod ataf, a gofyn, gan fod nifer helaeth yn y gynulleidfa ddim yn siarad Cymraeg, a fyddwn yn cynyddu fy nefnydd o'r Saesneg.

Arwydd clir i mi, beth bynnag, fy mod wedi cael y cydbwysedd cywir am unwaith.

Mae dylanwad hyd yn oed y cyflwyniadau rhwng rhaglenni yn goroesi hefyd. Daeth gŵr ifanc ataf ym mharti nos priodas ffrind i'm gwraig, gan ddweud ei fod yn fodel ac am fentro i fyd teledu fel cyflwynydd. Awgrymais iddo wneud tâp o'i waith a'i anfon i HTV. Ei enw oedd Steve Jones, a daeth yn adnabyddus fel un a fu'n cyflwyno ar Sianel 4 ac sy'n cyflwyno cwis deledu ar y BBC ar hyn o bryd. Dwn i ddim a oes cysylltiad rhwng hynny a'r tâp a anfonodd o i HTV, ond braf ei weld yn llwyddo cystal.

Ar ôl y sgwrs, a thrwy'r nos, roedd o a rhai o'i ffrindiau yn dod yn ôl a blaen ata i'n gofyn am yr un peth, dro ar ôl tro.

'Gwna ffafr â fi. Wnei di roi dy gyflwyniad i'r rhaglen *Rainbow* roeddet ti'n arfer neud pan o'n i'n blentyn?'

Oedd, roedd am glywed y geiriau roeddwn i'n eu dweud i gyflwyno'r rhaglen blant gyda Jeffrey a Zippy, ac yntau'n ddyn llwyddiannus yn ei ugeiniau. Doeddwn i ddim yn gallu gwneud yr hyn roedd o am i mi ei wneud jyst fel yna, felly gwrthod wnes i drwy'r nos. Tua diwedd y noson, fe ddaeth ataf unwaith eto ond y tro hwn, gyda'r priodfab a chriw o'i ffrindiau, a cheisio gwneud i mi deimlo'n euog na allwn fyth wrthod ar ddiwrnod mor bwysig gais gan y priodfab a'i wraig newydd. Felly, mi wnes, yn union fel y byddwn wedi ei wneud ar yr awyr:

'In half an hour's time we join ITN in London for *News at One* followed by the local news headlines. But, first, for our younger viewers, let's find out what Jeffrey, Bungle, Zippy and George are up to in today's edition of *Rainbow*.'

Am ymateb! Pawb yn neidio ac yn gweiddi 'Hwrê!' a 'Hero!' am yn ail. Rhyfedd meddwl bod y cyflwyniad yn rhan o brofiad y rhaglen iddyn nhw!

Digwyddodd rhywbeth tebyg pan oedd y Cymro, Johny Tudor ar *Opportunity Knocks*. Wrth gyflwyno'r rhaglen byddwn yn aml yn atgoffa pobl i gefnogi'r Cymro fyddai'n ymddangos y noson honno. Droeon ers hynny, mae Johnny wedi diolch i mi am y gefnogaeth, gan ddweud iddi fod o help mawr iddo.

Cyhoeddi rhaglenni oedd o ar ddiwedd y dydd, ond roedd ei ddylanwad wedi fy synnu'n fawr!

PENNOD 18

TWRCI A PENBLWYDD HAPUS

Y CLIW AMLYCAF, HYD Y gwn i, i'r ffaith fod pethau'n dechrau newid yn HTV oedd y cinio ar ddydd Nadolig. Pan ddechreuais gyda'r cwmni, roeddwn yn gweithio ar ddydd Nadolig gan fod teuluoedd gan y cyhoeddwyr eraill. Doeddwn i ddim yn gallu coelio'r peth ar y diwrnod Nadolig cyntaf y bu'n rhaid i mi weithio.

Tua deuddeg ohonon ni oedd i mewn y bore hwnnw yn 1975, a dyna lle'r oedd rholiau cig moch, wyau a phob dim arall ar ein cyfer i frecwast. Yna, amser cinio, bwrdd anferth a lliain gwyn drosto yn gwegian gan dwrci, llysiau, tatws a'r trimings i gyd. Byddai'r penaethiaid hefyd yn galw heibio amser cinio gan roi potelaid o win, neu o wisgi, i ni'n anrhegion. Amser te, wedyn, roedd yr un bwrdd yn gwegian eto dan bwysau cacennau a threiffl a melysion o bob math.

O'r deunaw Nadolig a dreuliais i yn aelod o'r adran gyhoeddi, mi weithiais ar ddydd Nadolig ryw bymtheg gwaith. Bu'r newid yn drawiadol. I ddechrau, rhoddwyd y gorau i baratoi brecwast i ni. Wedyn, roedd llai ar ein cyfer amser cinio. Tan y Nadolig olaf un. A beth oedd yn ein disgwyl? Un rôl dwrci mewn seloffen! Mor glir mae hynny'n darlunio'r newid a fu yn HTV Cymru.

Roedd stiwdio Croes Cwrlwys wedi agor yn 1982 a HTV

o ganlyniad yn rhannu eu rhaglenni rhwng y lle newydd a Phontcanna. Canlyniad hyn oedd bod y penawdau newyddion bellach yn cael eu darllen o Groes Cwrlwys ond roeddwn i'n dal i lawr ym Mhontcanna. Rhoddwyd y gorau i'r hysbysebion byw. Dechreuodd y gwasanaeth Night Time wedyn, gan olygu nad oedd angen i ni gau'r gwasanaeth ar ddiwedd y dydd chwaith. Daeth rhan ganolog o'r cysylltiad gwresog hwnnw â'r gwylwyr i ben. Byddwn yn gobeithio, hyd yn oed, y byddai rhywbeth yn mynd o'i le ar un o'r rhaglenni er mwyn gallu mynd ar yr awyr i esbonio pam. Roedd llai a llai i ni ei wneud.

Ychydig cyn Nadolig y rôl dwrci, fe'm galwyd i, Margaret Pritchard a Dilwyn Young Jones i swyddfa Don Hill-Davies, ein pennaeth adran. Roedd yn flin iawn ganddo, ond roedd yn rhaid iddo ddod â'n cytundebau i ben.

Oeddwn i wedi cael sioc? Nac oeddwn, mewn gwirionedd. Y sioc i mi oedd 'mod i wedi para yno mor hir! Gadawodd Margaret i weithio i Calon Cymru a bellach mae'n brif weithredwr Hosbis George Thomas. Aeth Dilwyn draw i'r adran dywydd.

A finnau? Mi ges i waith gydag adran newyddion HTV. Roeddwn i gyflwyno rhaglenni a bwletinau newyddion y cwmni. Tipyn o newid i mi, mewn gwirionedd, ond roeddwn i'n cael gweithio i'r cwmni ac roeddwn yn ddiolchgar.

Dyna pryd y des i wybod mwy am ffigyrau gwylio ac ystyriaethau tebyg a oedd yn magu arwyddocâd cynyddol yn y byd darlledu. Roeddwn wedi cael cynnig cyflwyno cyfres o'r enw *Get Going*. Fe'i darlledwyd am 6.30 ar nos Wener, yn syth ar ôl y newyddion a chyn *Family Fortunes* am saith. Slot gwych!

Rhaglen yn cynnwys coginio, ffasiwn, garddio ac eitemau nodwedd amrywiol oedd *Get Going*, ac roeddwn yn ei chyflwyno yn gyntaf ar y cyd â'r gyn-chwaraewraig dennis broffesiynol, Sarah Loosemore, cyn i Siân Lloyd ymuno â mi fel cyd-gyflwynydd.

Doeddwn i ddim yn gyfforddus yn yr adran newyddion, a dweud y gwir. Dydw i ddim yn newyddiadurwr, ac roedd lefel yr holi'r a wnes i cyn hynny yn ymwneud â holi grwpiau pop ynglŷn â'u gyrfa yn hytrach na holi gwleidyddion am bolisïau. Daeth hynny'n amlwg iawn wrth i mi holi'r cyn-Aelod Seneddol, Ron Davies, yn y stiwdio ar gyfer un rhaglen. Mi allai fod wedi rhoi amser caled iawn i mi am ddangos anwybodaeth a'i holi mor arwynebol. Dw i'n ddiolchgar iawn iddo am fod mor amyneddgar er ei fod yn gwybod fy mod allan o 'nyfnder, ddangosodd o mo hynny.

Daeth yn amlwg i mi, bryd hynny, os oedd angen cadarnhad, nad John Humphrys oeddwn i. Mi welais hynny yn glir iawn pan ddaeth John Humphrys ei hun i fod yn westai ar y gyfres *Pictures in the Attic*. Roedd y gyfres honno'n cael ei gwneud yn y cyfnod wedi'r dyddiau pan âi naw o bobl ar leoliad i wneud eitem pedwar munud, a realiti'r cyfnod oedd gwneud dwy neu dair rhaglen mewn diwrnod. Roedd yr amserlen yn dynn.

Pan gyrhaeddodd John Humphrys, heb fod eiliad yn hwyr nac eiliad yn gynnar, y cyfle cyntaf i mi sgwrsio ag o oedd yn yr ystafell golur. Esboniais fod angen cyfle i sgwrsio a thrafod y cwestiynau, wedyn i redeg drwy'r rhaglen ac ymarfer cyn mynd ati i recordio.

'Oh, is that what you want to happen, is it? Right, well, now I'll tell you what *will* happen. We'll go into the studio, record the programme and I'll be out of here in half an hour!'

Felly y bu. Ac roedd yn rhaglen hynod o bleserus i'w chyflwyno a John Humphrys, fel y byddai rhywun yn ei ddisgwyl, yn arbennig o dda.

Daeth yn amlwg fod dyddiau'r newyddion yn dirwyn i ben. Nid yn unig nad oeddwn i'n newyddiadurwr, doeddwn i chwaith ddim yn berson bore. Ac felly gwaith anodd iawn oedd codi am bedwar pan fyddwn ar y shifft gynnar! Roeddwn hefyd am wneud mwy na darllen *autocue*.

'Be wnewn ni ag Arfon?' oedd cwestiwn y penaethiaid erbyn hynny hefyd.

Time Out oedd yr ateb. Gyda Siân Clement yn gynhyrchydd, roedd yn gyfres a oedd yn golygu y gallwn deithio trwy Gymru a chyfarfod â phobl. Dyna'r ateb roeddwn eisiau ei glywed! Kevin Owen, Gwenda Richards a minnau oedd i gyflwyno'r gyfres.

Eto i gyd, roedd yn y gyfres honno arwyddion pellach o'r hyn oedd i ddod. Cafwyd cyfarfod cynhyrchu ar ddechrau'r gyfres a phenderfynwyd, gan y bydden ni'n mynd ar y lonydd drwy Gymru, mai da o beth fyddai cael siacedi lledr i'r cyflwynwyr, gyda logo *Time Out* arnyn nhw. Wedi cyfarfodydd cynhyrchu pellach, trodd hynny'n siacedi fflanel, wedyn yn grysau chwys a'r logo mewn brodwaith arnyn nhw, i grysau chwys a'r logo wedi ei brintio, i grysau polo gyda brodwaith, ond, yn y diwedd, penderfynwyd ar y crysau polo rhataf posib ac fe stampiwyd logo HTV arnyn nhw gan rai o staff Croes Cwrlwys! Am newid! Er bod syniadau'r cyfnod yn arbennig o dda, roedd yr arian i'w gwireddu yn lleihau a lleihau.

Yn y busnes hwn, mae galwad ffôn yn gallu newid cwrs gyrfa. Ac mi ges i alwad felly. Y person ar ben arall y ffôn oedd Huw Jones, o gwmni teledu Tir Glas, ac a ddaeth yn bennaeth S4C. Roedd am fy nghyfarfod mewn gwesty yng

Nghaerdydd am naw o'r gloch ar y bore Sadwrn canlynol. Roedd yr holl beth yn swnio'n eithaf cyffrous.

Yn y cyfarfod, dywedodd fod y cwmni wedi cynnig syniad i S4C am gyfres o'r enw *Penblwydd Hapus*. Pe bai'r cais yn llwyddiannus, roedden nhw am i mi ei chyflwyno. Un ymateb oedd yna: 'Ie, plis'.

Mi gafodd y cwmni'r comisiwn, ac fe gefais innau ganiatâd gan HTV i gyflwyno'r gyfres, ac ymunais â chriw cynhyrchu arbennig yn cael ei arwain gan ddau dalentog tu hwnt, Siân Wheway a Dafydd Roberts. Erbyn i'r rhaglen ddod i ben, roeddwn wedi cyflwyno saith cyfres i gyd, gan gyfarch dros chwe deg o bobl. Yn y gyfres gynta, byddwn yn recordio'r rhaglen mewn lleoliad a oedd yn agos at y man lle rhoddwyd y syrpreis i'r gwestai. Ond, o gyfres i gyfres, newidiwyd y drefn ac erbyn y diwedd roedd y person yn gallu cael y syrpreis fisoedd ar ôl eu pen-blwydd. Yn achos Huw Llywelyn Davies, er enghraifft, roedd ei ben-blwydd ym mis Chwefror, recordiwyd y rhaglen ym mis Ebrill ac fe'i darlledwyd ym mis Tachwedd!

Felly, yn y cyfresi diweddarach, roedd y syrpreis ar wynebau pawb yn ddigon didwyll – am nad oedden nhw'n meddwl am eu pen-blwydd o gwbl!

Gwyn Davies o Antur Waunfawr oedd yr un cyntaf i glywed y cyfarchiad 'Pen-blwydd Hapus' yn y gyfres, gan sefydlu patrwm roeddwn i'n bersonol yn meddwl ei fod yn gyfraniad pwysig, sef cael cyfuniad o bobl gyfarwydd ac arweinwyr cymdeithas yn westeion.

Wnaeth yr un person wrthod cymryd rhan yn y gyfres wedi iddyn nhw gael y syrpreis. Ffred Ffransis ddaeth agosa, gan ddweud nad oedd ganddo'r amser i gymryd rhan yn y rhaglen a dechrau cerdded i ffwrdd. Diolch byth, cytunodd wedyn, ac aed ymlaen â'r rhaglen.

Ofn gefais i wrth roi syrpreis i Orig Williams. Nid ofn y byddai'n gwrthod, ond ei ofn o! Roedd ei wraig, a Tara'i ferch, wedi trefnu popeth yn fanwl iawn, ac wedi sicrhau y byddai yn ei gartref ar y prynhawn arbennig hwnnw. Ond er mwyn ei gyrraedd heb iddo ein gweld, roedd yn rhaid i ni fynd ar hyd llwybr o amgylch troed y mynydd. Yna, i mewn trwy'r drws cefn, trwy'r gegin ac i mewn i'r lolfa lle'r oedd o'n gorwedd ar ei fol yn gwylio'r teledu. I mewn â ni a'i gyfarch gyda'r syrpreis arferol.

Ond cyn i mi orffen dweud 'Pen-blwydd Hapus', roedd wedi codi ar ei draed ac yn sefyll wyneb yn wyneb â fi. Am rai eiliadau, roeddwn yn gweld y reslwr El Bandito yn rhythu arna i a heb fod yn hollol siŵr beth fyddai'n digwydd nesaf! Ond deallodd yn ddigon cyflym beth oedd yn digwydd, ac nad pobl wedi torri i mewn i'w dŷ oedden ni wedi'r cyfan.

Cafwyd ymateb diddorol iawn gan y diweddar Brifardd Dic Jones. Mae'n amlwg ei fod yn berson a oedd yn meddwl na allai fawr ddim digwydd iddo heb fod ganddo syniad bod rhywbeth ar y gweill. Ond, wedi rhoi'r syrpreis iddo, y cyfan a wnaeth oedd ail adrodd geiriau tebyg i 'Sut ddiawl wnaethoch chi hwnna, 'te? Sut wnes i ddim ffeindio mas?'

Ac wedyn daeth ei awgrym, yn sgil y fath deimladau. Awgrymodd y dylid newid y drefn yn seremonïau'r Steddfod, a bod pawb yn y gynulleidfa yn gwybod pwy oedd wedi ennill y gadair neu'r goron heblaw am y person buddugol, yn gwbl groes i'r drefn bresennol. Mae'n rhywbeth i'w ystyried!

Meddwl ei fod yn gwybod beth oedd yn digwydd roedd yr Arglwydd Cledwyn wrth i ni guro ar ddrws ei gartre yntau. Daeth i agor y drws, ac wrth weld criw teledu, ac yntau'n wleidydd amlwg, roedd yn amlwg wedi cymryd yn ganiataol mai gofyn ei farn wleidyddol ar rywbeth neu'i gilydd oedd ein rheswm dros fod yno. Wedi agor y drws, dywedodd:

'Does gen i ddim byd i'w ddweud wrthych chi ar y mater, diolch yn fawr.'

A chyda hynny dechreuodd gau'r drws a cherdded yn ôl i mewn. Ond, unwaith eto, yr eiliad y deallodd beth oedd yn digwydd, roedd ei gydweithrediad yn ddigon amlwg.

Mi fyddai Bryn Terfel wedi rhoi unrhyw beth, dw i'n siŵr, am beidio â chymryd rhan. Roedd y syrpreis ar ei gyfer o'n eithaf manwl a chymhleth, gan fod yn rhaid i ni fynd i Chicago i roi'r syrpreis iddo fo. Roedd yn canu mewn opera a Leslie ei wraig wedi mynd yno gydag o. Trefnwyd y byddai hi'n mynd i gyntedd y gwesty lle roedden nhw'n aros ac i un o'r siopau yno. Roedd i ffonio Bryn gyda'r esgus iddi anghofio mynd â'i phwrs a gofyn iddo ddod â phres i lawr iddi.

Yn anffodus, roedd ganddo annwyd a newydd gyrraedd Chicago roedd o'r noson cynt, felly roedd yn dioddef rhywfaint o *jetlag* yn ogystal. Ar ben hynny, wrth gwrs, doedd o ddim yn disgwyl criw ffilmio.

Ond, dyna lle roeddwn i'n aros yn y cyntedd nes ein bod yn ei weld o'n dod i lawr yr *escalator*. Pan oedd hanner ffordd i lawr, fe redon ni draw at waelod y grisiau. Erbyn hynny, wrth gwrs, roedd wedi ein gweld, ond doedd dim modd dianc. Roedd golwg o arswyd ar ei wyneb, ac mae'n siŵr, pe bai ar risiau arferol y byddai wedi troi ar ei sawdl a'i baglu hi'n ôl i'w stafell wely. Ond doedd o ddim yn gallu, ac i lawr ag o yn syth o'n blaenau, a finnau'n dweud 'Pen-blwydd Hapus' wrtho!

Aeth y rhaglen yn ei blaen gyda ni yn Chicago, a chynulleidfa a'r gwesteion mewn stiwdio yng Nghaernarfon.

Roeddwn yn drist pan ddaeth y gyfres i ben, mae'n rhaid dweud, ond roedd pethau'n symud yn eu blaen. Gofynnwyd i mi droeon a fyddwn i'n hoffi gweld y gyfres yn dychwelyd. Fyddai hi'n gweithio eto? Dwn i ddim, ond yn ei dydd, o'r ymateb a gefais, roedd yn gyfres oedd i'w gweld yn taro deuddeg gyda'r gynulleidfa.

PENNOD 19

CAMERÂU A CHLEDRAU

O BRYD I'W GILYDD, DAW cyfres ar y teledu sy'n creu argraff, ambell dro ar bawb, a dro arall ar unigolion. Cyfres felly oedd *Great Little Trains of Wales* i mi, un o glasuron yr athrylith Wynford Vaughan Thomas a ddarlledwyd ar HTV yn 1975.

Roeddwn wrth fy modd â'r gyfres gan ei bod yn cyfuno fy niddordeb mewn trenau gyda 'ngyrfa newydd ym myd teledu. Dri deg pum mlynedd yn ddiweddarach, mae'n gyfres y bydd pobl yn dal i'w thrafod a does dim cyfres well ar drenau wedi bod ers hynny. Dyhead cynnar iawn i mi, felly, oedd cael gweithio ar raglen ddogfen yn ymwneud â threnau, ac fe ddaeth cyfle yn niwedd yr wythdegau.

Rhaglen ar hanes rheilffordd y Cambrian oedd hi, o ddyddiau David Davies tan y presennol. Roedd yn gyfle arall i weithio gyda'r cynhyrchydd David Lloyd a finnau'n gwybod felly y byddai'r trefniadau a'r gwaith ymchwil wedi ei wneud yn fanwl iawn. Pythefnos oedd gennym ni i saethu'r gyfres gyfan, a hynny tua diwedd y cyfnod pan âi criwiau llawn allan i ffilmio. Efallai i ni gael criw o bump i'r gyfres honno yn lle'r naw a fu 'nôl yn y saithdegau.

Gwireddwyd breuddwyd i mi, nid yn unig trwy wneud y rhaglen yn y lle cyntaf, ond trwy gael cyfle, yn ystod y ffilmio, i deithio ar *footplate* injan stêm dosbarth Manor, tebyg i'r rhai oedd wedi cydio yn fy nychymyg pan oeddwn i'n blentyn ysgol yn Aberystwyth. Roeddwn yn ardal Llangollen, ac wedi peth amser, yn rhofio glo ar y tân i gynhyrchu'r stêm. Wedi bod wrthi am ryw chwarter awr, gofynnais i'r taniwr go iawn sut roeddwn i wedi gwneud.

'Dywedwch wrtha i'n onest, a fyddwn i wedi gallu cael y trên i fyny Talerddig?'

'Faset ti ddim wedi cynhyrchu digon o stêm i ni fedru gadael y stesion,' oedd yr ateb torcalonnus a gefais.

Roeddwn yn iawn, felly, pan ddywedais 'mod i'n rhy ddiog i fod yn yrrwr trên!

Mae'n rhaid i mi gyfaddef, wrth bwyso a mesur fy niddordeb angerddol mewn trenau, nad ydw i'n gorfod dibynnu ar drenau o ddydd i ddydd. Petawn i'n gorfod gwneud, ac yn gorfod dygymod â threnau hwyr ac ati, mae'n bosib y byddai hynny'n tynnu'r sglein rywfaint oddi ar y rhamant. Ac ystyried hynny, rydw i'n rhydd i ymgolli yn fy niddordeb.

Cefais alwad ffôn arall a oedd wrth fy modd hefyd, yn cynnig gwaith i mi. Nid gan gwmni teledu, ond gan gwmni Video 125. Y cwmni mwyaf ym Mhrydain sy'n gwneud fideos a DVDs yn ymwneud â threnau a rheilffyrdd. Roedden nhw am wneud fideo ar sut i yrru trên stem, ac am wybod a fyddwn i'n awyddus i gyflwyno'r gyfres a dysgu'r grefft fy hun. Dau gwestiwn oedd gen i: Pryd? Ble?

Wedi cymryd wythnos o wyliau o'r gwaith, draw â fi i Loughborough, ac i'r Great Central Railway lle roeddwn i fynd drwy'r holl broses o baratoi injan, ei glanhau, ei thanio ac, yn y diwedd, ei gyrru. Roeddwn yn ffilmio o tua wyth y bore tan chwech i saith o'r gloch y nos.

A, chwarae teg, nid unrhyw injan ges i chwaith, ond

injan dosbarth Castell a fyddai wedi cael ei defnyddio ar hyd prif reilffyrdd De Cymru i Lundain.

Am brofiad anhygoel! Breuddwyd bell oedd meddwl am gael sefyll ar *footplate* injan stêm pan oeddwn yn blentyn. Nawr, roeddwn wedi cael fy hyfforddi i yrru trên go iawn! Roedd cyfyngiad ar y cyflymdra roeddwn yn gallu ei gyrraedd, tua 40 milltir yr awr dw i'n credu. Ac er bod fy llaw ar y *regulator* yn ei gadw o dan hynny, roeddwn yn gallu teimlo nerth yr injan fel rhyw deigr mewn caets, yn ysu am gael dangos ei gwir bŵer.

Ar y trip olaf un i mi ei wneud, gofynnais i'r arolygwr a oedd gyda ni drwy'r amser a allwn fynd dipyn yn gyflymach. Trodd ei gefn ataf, a dyna'r arwydd roeddwn am ei weld! Wrth agor yr injan ychydig bach, teimlwn rym yr injan stem yn crynu i fyny fy mraich. Y fath bŵer!

Mae'r fideos, neu DVD's erbyn hyn, yn dal i fod ar gael dros bymtheng mlynedd ers i ni eu gwneud. Yn gynharach yr haf yma, roeddwn yn ffilmio ar reilffordd Aberhonddu ac yn siarad â'r gyrrwr yn y fan honno. Dywedodd mai edrych ar y fideo yna gododd yr awydd arno i fod yn yrrwr trên stêm yn y lle cyntaf. Braf oedd meddwl iddyn nhw gael y fath ddylanwad ac yntau wedi gwneud dipyn yn well na fi trwy ddysgu a pharhau i ddefnyddio'r sgil a feistrolodd.

Gyda gwawrio'r mileniwm newydd, daeth cyfle i wneud cyfres roeddwn wedi bod eisiau ei gwneud ers blynyddoedd lawer. Daeth comisiwn gan S4C i wneud cyfres ar hen reilffyrdd Cymru. Dan y teitl *Cledrau Coll*, roedd yr hanesydd Gwyn Briwnant Jones a fi'n teithio trwy Gymru i greu cofnod o'r holl gwmnïau a'r rheilffyrdd a fu'n gwasanaethu Cymru am ddegawdau ond sydd nawr yn angof.

Un elfen gref o'r rhaglen oedd y defnydd o ffilmiau archif du a gwyn anhygoel a greodd naws arbennig i'r holl beth. Roeddwn i fod i wneud dwy gyfres ac felly wedi rhannu'r cyfan yn ddwy gyfres o wyth rhaglen. Yn y gyfres gyntaf, fe aethom o Riwabon i'r Bala, o Gaerfyrddin i Gastell Newydd Emlyn, o'r Trallwng i Lanfyllin ac felly yn ein blaenau o gwmpas Cymru.

Rodd nifer o'r cledrau wedi cael eu codi, wrth gwrs, ond ymhob man y buon ni, roedd modd siarad â phobl a oedd naill ai'n arfer gweithio ar y rheilffyrdd coll hyn, neu'n eu cofio amdanynt. Daeth yn amlwg fod y rheilffyrdd wedi chwarae rhan ganolog ym mywyd cymunedau'r cyfnod ac roedd eu harwyddocâd hanesyddol yn amlwg.

Fy hoff raglen yn y gyfres oedd yr un am y lein rhwng Afon Wen a Bangor. Dyna'r lein roeddwn i'n gyfarwydd â hi pan oeddwn i'n blentyn yn Aberystwyth ac yn dal trên i fynd i weld Nain a Taid, ac yn gorfod newid yn Dyfi Junction ac Afon Wen. Roedd cerdded ar hyd llwybrau'r hen gledrau i fyny o Afon Wen, trwy bentrefi fel Chwilog a Phenygroes, oedd wedi bod yn gyfarwydd iawn wrth i mi edrych allan drwy ffenest y trên ar fy nheithiau, yn brofiad hiraethus tu hwnt. Cofio am yr oes a fu a bod y rheilffyrdd wedi rhoi eu siâp ar yr oes honno.

Ond does dim rhaid byw yn y gorffennol yn unig. Mae'n galondid mawr i mi weld y gwaith sy'n cael ei wneud ar reilffyrdd bychan drwy Gymru ar hyn o bryd. Cefais wahoddiad i fod yn llywydd Rheilffordd Gwili ar gyrion Caerfyrddin, a'n huchelgais ni yn y fan honno yw ymestyn y lein o Fronwydd i Abergwili. Mae'n mynd i fod yn waith anodd ond mae gobeithion cryf y byddwn yn llwyddo – mae misoedd o bwyllgorau a chyfarfodydd o 'mlaen!

A dyna sydd yn fy synnu, dro ar ôl tro, yw'r diddordeb

cynyddol, brwdfrydig, yn yr hen drenau. Roeddwn yn ffilmio ar gyfer cyfres *Great Welsh Cafes* i HTV, yn y Coed Duon; drws nesa i'r caffi lle roeddwn i'n ffilmio roedd siop bapur newydd, ac i mewn â ni i holi'r perchennog. Wedi mynd i mewn, mi wnes i droi at y criw a dangos y silff gylchgronau iddyn nhw. Yn y rhes ganol, dyna lle'r oedd *Railway World, Railway Magazine, Heritage Railway* – naw cylchgrawn i gyd yn ymwneud â rheilffyrdd, mewn tre fel y Coed Duon. Mae unrhyw sôn am ddiffyg diddordeb mewn trenau y dyddiau hyn yn amlwg yn bell ohoni.

Y datblygiad mwyaf cyffrous yng Nghymru yw'r un ar y lein o Gaernarfon a fydd cyn bo hir yn cyrraedd Porthmadog. Bydd yn bosib wedyn mynd ar y trên bach arall o Borthmadog i Flaenau Ffestiniog. Gellir dal trên o Ffestiniog i Gyffordd Llandudno ac o Gyffordd Llandudno i Fangor. Trueni mawr fod y lein o Fangor i Gaernarfon yn dal ar gau, neu mi fyddai'n bosib gwneud taith mewn cylch eang. Mi wireddir hynny, gobeithio, yn y dyfodol.

Ond, yn y cyfamser, wedi i'r rheilffordd o Gaernarfon, drwy Feddgelert ac Aberglaslyn, gael ei chwblhau i Borthmadog, ac wedyn y cysylltiadau posib ymlaen oddi yno i Ffestiniog, nid un o brif atyniadau twristiaeth Cymru na Phrydain fydd hi, ond yn hytrach un o brif atyniadau twristiaeth y byd.

PENNOD 20

PACIO A CHREIRIAU

YM MYD DARLLEDU, PAN nad oeddwn i'n dweud penblwydd hapus wrth bobl ymhob cornel o Gymru, ces yr amrywiaeth ehanga posibl o gyfresi yn Saesneg a aeth â fi o'r ardd i fyd bric a brac, archif ac i raglen yn ymwneud ag arwyr yr arwyr. Ond y gyfres fwyaf arloesol ohonyn nhw i gyd oedd un o'r rhai cynharaf.

Nid cyflwyno'r oeddwn i ar y gyfres hon chwaith, yn hytrach dyma oedd un o'r cyfleoedd cyntaf a ges i gynhyrchu cyfres. Teimlid yn nechrau'r nawdegau bod angen rhaglen a fyddai'n addas i ddynion yn benodol. Crëwyd *Mainly Men* ac fe'i darlledwyd yn hwyr y nos. Mi lwyddon ni i gael John Leslie i gytuno i gyflwyno'r gyfres, cyn iddo ddod yn enwog am bethau heblaw cyflwyno! Roedd newydd orffen ar *Blue Peter* ac yn dipyn o gaffaeliad i HTV.

Y syniad oedd cael rhaglen slic, *glossy*, a oedd yn llawn eitemau amrywiol, o ddiddordeb i ddynion yn bennaf – eitemau am bêl-droed, tips golff, siaradwyr gwadd ar ôl cinio a'u straeon doniol amrywiol, eitemau mewn clybiau nos ac ati. Mi wnaethon ni chwe rhaglen i gyd ac roedd pob un, diolch i'r cyfarwyddwr, Rhodri Edwards, yn edrych yn raenus ar y sgrin ac yn cynnig rhywbeth nad oedd ar gael ar y pryd. Cafwyd ymateb da iawn gan y gwylwyr.

Awgrymwyd y dylid cynnig y gyfres ar gyfer y

rhwydwaith, ac fe aeth un o uwch-reolwyr HTV i fyny i Lundain i ddadlau'r achos. Yn anffodus, daeth yn ei ôl heb lwyddo i sicrhau diddordeb ITV yn y gyfres. Y rheswm a roddwyd oedd eu bod yn credu bod y rhaglen yn rhy blwyfol. Wel, dw i'n sicr o un peth, does neb yn well i werthu syniad am raglen na'r rhai fu'n gweithio arni. Trueni na ches i na Rhodri gyfle i wneud hynny, yn enwedig o glywed yr ateb a gawsom. Doedd dim un eitem na fyddai wedi bod yn bosib ei gwneud mewn sefyllfa arall unrhyw le ym Mhrydain. Ond, felly y bu, yn anffodus, yn enwedig gan i raglenni o'r fath brofi mor boblogaidd ymhen ychydig flynyddoedd. Erbyn hyn, wrth gwrs, mae sianeli cyfan, heb sôn am lond silff o gylchgronau tebyg i *FHM* ac ati, yn cwrdd â'r un farchnad ag roedden ni'n anelu ati yn *Mainly Men*.

Doedd dim digon o raglenni HTV yn cyrraedd y rhwydwaith, mewn gwirionedd. Enghraifft arall o'r cyfnod oedd cyfres gan Myrfyn Jones, *Snowdon Shepherd*. Roedd yn ddarlun gwych o fywyd bugail yn Eryri, ond cafodd ei wrthod gan ITV. Dw i'n sicr, y byddai cyfres fel Pennine Shepherd neu Moorland Shepherd wedi cael ei darlledu'n ddi-gwestiwn, a hyd yn oed Highland Shepherd mae'n siŵr. Ond, doedden nhw ddim eisiau gwybod am fugeiliaid Eryri.

Gofynnwyd i mi sawl gwaith a oedd hi'n uchelgais gen i weithio ar y rhwydwaith. Yn bersonol, fy agwedd i oedd fy mod eisoes yn gweithio i'r rhwydwaith, sef Cymru gyfan! Ond, un diwrnod, cefais neges annisgwyl gan ffrind a wnaeth i mi feddwl fy mod ar un o raglenni'r rhwydwaith, a hynny heb yn wybod i mi.

'Dw i newydd dy weld ar y teledu!' meddai ffrind i mi oedd yn gweithio i deledu Granada.

'O, grêt,' meddwn i, ond heb wybod pa raglen na dim.

Mi ddaeth y ffeithiau i'r amlwg yn ddigon buan. Un o'm heitemau i *Get Going* gafodd ei ddangos, eitem ar bêl fas. Ffilmiwyd gyda thîm yng Nghaerdydd ac yna allan yn America. Er mwyn mynd yno, bu'n rhaid cael nawdd gan British Airways. Digon teg, felly, yn gyfnewid am gael ein cludo yno ac yn ôl, fod yn rhaid i ni gydnabod eu haelioni nhw. Hawdd iawn gwneud hynny, trwy gyfeirio at y cwmni ychydig o weithiau mewn darn i gamera.

Ond mae'n ymddangos i ni fynd dros ben llestri braidd. Roedd fy eitem yn rhan o gyflwyniad gan yr Awdurdod Darlledu Annibynnol, yr IBA, i staff Granada ar sut i beidio â chyfeirio at nawdd, ac yn ôl ei llefarydd, yn enghraifft o 'unacceptable practice'. Roeddwn wedi sôn gormod am y cwmni, ynghyd â dangos ei logo a shot o un o'r awyrennau yn yr awyr. Roedd cyflwyniad yr IBA ar daith o amgylch Prydain a chyn hir fe ddaeth i HTV Cymru hefyd!

Yn eironig ddigon, wrth i mi ysgrifennu'r geiriau yma, mae'r ddeddf ar leoli a chyfeirio at gynnyrch masnachol mewn rhaglenni teledu yn cael ei llacio'n sylweddol. Ond yn rhy hwyr i mi.

Yn anffodus, mae enghraifft arall o gyfres a wnaed gan HTV ond a ddaeth i ben cyn i'r un math o syniad brofi'n boblogaidd tu hwnt trwy Brydain. Mi gyflwynais gyfres o'r enw *Moneyspinners*, gyda Brian Hibbard, o'r grŵp Flying Pickets gynt, a Carolyn Hitt. Roeddwn wedi bod yn darllen colofn Carolyn yn y *Western Mail* yn rheolaidd, ac wedi hoffi ffraethineb ei sylwadau. Awgrymais roi cyfle iddi gyflwyno, fe gytunodd ac fe brofodd yn llwyddiant mawr.

Roedd cyfraniad Brian Hibbard yn taro deuddeg gyda'r gwylwyr yn ddi-ddadl. Fo oedd yr un a gynigiai £20 i'r rhai oedd yn cymryd rhan yn y rhaglen, gan ofyn iddynt fynd o amgylch arwerthiannau cist car a cheisio gwario'n gall. Ein harbenigwr, Hywel Morris, a fyddai'n penderfynu wedyn pwy oedd wedi gwario'r arian galla.

Dw i'n cofio rhywun o gwmni cynhyrchu arall yn ffonio ein swyddfa ac yn gofyn sawl cwestiwn manwl ynglŷn â sut roeddem yn paratoi'r rhaglen. Wnaeth yr alwad honno arwain yn uniongyrchol at gwmni arall yn gwneud rhaglen debyg? Y cyfan ddyweda i yw bod cyfresi di-ri digon tebyg yn dal i lenwi oriau darlledu yn ystod y dydd heddiw, o *Flog It* i *Bargain Hunt*, i *Car Boot Challenge*, *Cash in the Attic* ac ati! Ond, dyna ni, mae'n anodd iawn rhoi hawlfraint ar syniad.

Dwn i ddim pryd, neu a fydd hen frics yn cael eu hystyried yn greiriau, ond dyna oedd hobi un o'r rhai gymrodd ran mewn cyfres arall a gyflwynais, *Prize Possessions* – cyfres lle'r oedd pobl yn dangos yr hyn roedden nhw'n ei gasglu a'i drysori. Gŵr o Abertawe oedd yn gyfrifol am rannu ei brofiadau yn casglu brics a hynny o bob rhan o Gymru. Doeddwn i ddim yn edrych ymlaen at fynd i wneud yr eitem honno. Wedi'r cyfan, be sy'n ddifyr ynglŷn â chasglu brics? Roedd gan y gŵr hwn dros 300 o wahanol frics ac wedi ei glywed yn esbonio ei ddiddordeb, buan y dois i'r casgliad bod rhywun yn rhywle yn casglu pob dim! A dweud y gwir, dw i'n ei chael yn anodd iawn deall pobl sy'n dweud nad ydyn nhw'n casglu unrhyw beth. Mae mor rhwydd dechrau. *Hoovers* oedd diddordeb un dyn, a seddi haearn hen dractorau yn ddiléit i rywun arall. Yr unig un dw i'n cofio i ni wrthod ei ffilmio oedd dyn yn y gogledd a oedd yn casglu bagiau chwydu cwmnïau awyrennau! Efallai fod synnwyr i bopeth.

Yn y stiwdio wedyn, roedd rhai o selebs ein byd yn dod â'r hyn roedden nhw'n ei drysori fwya i'w ddangos.

Daeth Ruth Madoc â stand cerddoriaeth Fictoraidd roedd yn arfer ei ddefnyddio wrth gael gwersi canu yn blentyn. Pâr o sgidiau oedd wrth fodd calon Siân Lloyd.

Mi ges innau rywun oedd yn agos at fy nghalon ar y rhaglen hefyd. Wel, a dweud y gwir, rhywun roeddwn wedi gwirioni arni ers ei gweld ar y sgrin fawr 'nôl yn nyddiau ieuenctid. Roedd Hayley Mills yn actio yn y Theatr Newydd, Caerdydd, ac mi wnaed cais i mi wneud cyfweliad â hi ar gyfer y gyfres *Prize Possesions* tra oedd hi yno a, diolch i'r drefn, fe gytunodd.

'Mae 'na un broblem,' meddai'r cynhyrchydd. 'Mae angen mynd i'w 'nôl o ganol y ddinas.'

'Dim problem!' meddwn i'n reit gyflym. 'Mi a' i!'

Anghofia i fyth ei chodi o Westy Dewi Sant a'i gyrru yn ôl i'r stiwdio, a finnau'n gwenu'n ddi-baid wrth feddwl bod Pollyanna yn y sedd wrth fy ochr. Seren *Parent Trap* yn fy nghar!

Gan ei bod gyda ni, roeddwn wedi gofyn i'w hasiant a fyddai'n fodlon siarad ychydig am y ffilm *Tiger Bay*. Dywedodd nad oedd hynny'n broblem.

Wedi gorffen y sgwrs ar gyfer *Prize Possesions*, lle soniodd am hen fodrwy ei nain, aethom i siarad am *Tiger Bay*, ffilm a wnaeth gyda'i thad, Syr John Mills, yng Nghaerdydd yn y pumdegau. Mi aeth yn eitha teimladwy, yn gwbl annisgwyl i mi, wrth ddechrau siarad am ei thad a sut roedd o wedi mwynhau gweithio yng Nghymru a bod ganddi atgofion annwyl iawn o'r cyfnod. Roedd y dagrau'n dechrau casglu wrth iddi agor ei chalon. Moment gofiadwy iawn.

Wedi i mi ei gollwng 'nôl yn y gwesty, roedd yn rhaid gofyn am ei llofnod. Ond doeddwn i ddim yn sicr a ddylwn ofyn amdano ai peidio. Ond penderfynais yn y diwedd bod raid, a hithau yn fy nghar. Ac fe gytunodd. 'Thanks for making a distant memory come to life again. Lots of Love, Hayley.' Mae hwnna'n *Prize Possession* i fi rŵan!

Rhoddodd dwy gyfres arall gyfle i mi gwrdd â nifer o enwogion a rhai a fu'n arwyr i mi hefyd. Un oedd y gyfres *Heroes*. Y syniad oedd bod gan ein harwyr ni eu harwyr eu hunain hefyd, felly beth am roi cyfle i'r arwyr gyfarfod â'u harwyr. Doeddwn i ddim yn gwybod beth i'w ddisgwyl a dweud y gwir. Roedd cyfarfod â'i gilydd yn un peth, ond roedd cael digon o ddeunydd o hynny i gynnal rhaglen yn fater arall.

Doedd dim angen poeni. Arwr Gareth Edwards oedd y golffiwr, Gary Player. Mae dau o ddywediadau enwoca'r byd chwaraeon yn ymwneud â'r ddau yma, ac wedi eu cyflwyno i'w gilydd, daeth yn amlwg iawn fod Gareth yn arwr i Gary hefyd, a bod y ddau am drafod y dywediadau hynny.

'Tell me, is it true,' dechreuodd Gary Player, 'that Barry John used to tell you in games, "You throw it, I'll catch it!"?'

'Yes, it is,' atebodd Gareth. 'Is it true about your answer when someone suggested that you were a lucky player?'

'Yes – the more I practice, the luckier I get!'

Roedd Gareth am holi Gary Player ymhellach.

'You know during the Lions' test in 74, we'd won the first three and we heard that you were called in to give the Springboks a pep talk before the final test, which was a draw game.What did you tell them because it was a totally different Springboks that we faced that afternoon?'

'I just said, forget all your families and friends – I'll take care of them. Just get out on that pitch and I want you to die!'

Braidd yn eithafol! Pleser oedd eistedd yn ôl a gadael i ddau athrylith siarad ymhlith ei gilydd.

Never to Be Forgotten oedd y gyfres arall – cyfres lle roedd y gwestai yn cael dewis darnau o ffilm archif a oedd yn golygu rhywbeth iddo am ba reswm bynnag. Mi wnes dros 70 o raglenni yn y gyfres hon a chael sgyrsiau amrywiol tu hwnt gyda phobl fel Rhodri Morgan, Karl Jenkins, Howard Marks, Scott Quinnell, Siân Phillips a nifer o rai eraill. Y broblem gyda'r gyfres honno – problem weddol unigryw a dweud y gwir – oedd nad oedd ganddi slot benodol. Dw i'n cofio unwaith, fel bysus Llundain, i bythefnos fynd heibio heb ddarlledu yr un rhaglen, ac i dair gael eu darlledu yr wythnos ganlynol.

Ond roedd yn dal i fod yn gyfnod ansicr, er gwaetha'r holl gyfresi, am fod ein cyllidebau'n dioddef cymaint. A daeth y dydd pan oeddwn wyneb yn wyneb â dilema eitha pendant. Cynigiwyd cyfres newydd i mi. Grêt, digon derbyniol. Ond roedd yn gyfres arddio. Ddim mor grêt! Does gen i ddim syniad ynglŷn â garddio – wir, dim syniad o gwbl. *Get Gardening* oedd enw'r gyfres, ac roedd y neges gan y cwmni'n ddigon clir: '*Get Gardening* or get out!' Garddio amdani felly.

Diolch byth bod gen i gyd-gyflwynwraig a oedd yn cynllunio gerddi am ei bywoliaeth, Helen Scutt. Oni bai amdani hi, buaswn wedi boddi o dan dermau ac enwau droeon.

Cefais fy nal unwaith a cholli rheolaeth yn llwyr wrth gael dós o'r gigls go iawn. Roeddwn ynghanol rhosod yn rhywle, rhai a oedd yn dringo, sy'n cael eu galw yn Rambling Rector. Ond fedrwn i ddweud yr enw? Fedrwn i wir? Wedi sawl *take*, a saib i ddod dros y chwerthin afreolus, allwn i ddim gwella ar y *take* pan wnes eu galw'n 'Rumbling Rectum'!

Dro arall, a finnau yn Ffair Haf Rheilffordd Gwili, mi ddaeth rhywun ata i a'm tywys at stondin am ei bod yn credu y byddai'n stondin wrth fy modd fel cyflwynydd *Get Gardening*. Stondin blanhigion. Wedi edrych o gwmpas am beth amser, a cheisio edrych yn ddeallus a gwybodus, penderfynais mai gwell fyddai prynu rhywbeth.

'Mi gymra i'r *geranium* yna, os gwelwch yn dda.'

'Nid *geranium* yw hwnna,' meddai'r ddynes, yn amlwg wedi digio. 'Planhigyn tomato yw hwnna! Falle nad oes tomatos arno ar hyn o bryd, ond gallaf eich sicrhau mai planhigyn tomato yw e!'

Oes angen prawf pellach nad yw cyflwyno cyfres yn arwydd pendant fod gan y cyflwynydd unrhyw wybodaeth am y pwnc?

Dim peryg o hynny yn y gyfres Gymraeg arall a gyflwynais yn y cyfnod. Cefais alwad i swyddfa Menna Richards yn HTV, er mwyn iddi ddweud wrtha i fod y cwmni wedi gwneud cais i wneud cyfres wyliau i S4C, ac os bydden nhw'n llwyddiannus, roedd am i mi fod yn un o'r cyflwynwyr. *Gwyliau*? Teithio'r byd? Dim problem!

Daeth y cynhyrchydd, Emlyn Penny Jones, ataf un dydd a dweud bod ganddo newyddion da a drwg. Y newyddion da oedd i ni gael caniatâd i wneud y gyfres a'r drwg oedd y byddwn i'n cyflwyno o'r stiwdio a chyflwynwyr eraill yn cael crwydro'r byd! Fel mae'n digwydd, mi gefais gyfle annisgwyl i fynd ar leoliad unwaith yn y gyfres gynta – i benwythnos canu gwlad yn Poole, Dorset!

Diolch byth i'r drefn newid erbyn ail gyfres *Pacio*. Doedd dim stiwdio o gwbl – ac roeddwn innau, felly, yn cael hedfan dramor hefyd. Roedd rhai'n ddigon parod i'm cynghori bod ffilmio tramor yn waith digon anodd, blinedig a ddim yn gymaint o sbri â'r disgwyl. Roedden nhw'n anghywir – dyna'r jobyn gorau yn y byd.

I ble bynnag byddwn i'n mynd, yn amlach na pheidio, roeddwn yno ar wahoddiad Bwrdd Twristiaeth y wlad, ac felly yn derbyn y gorau oedd ganddyn nhw i'w gynnig. O ganlyniad, roedd nifer fawr o'r darnau i gamera roeddwn yn eu gwneud yn golygu cyfeirio at y gwesty pum seren lle roeddwn i'n aros, gan ychwanegu bod gwestai eraill, rhatach, ar gael, wrth gwrs. Byddai hyn yn gwylltio un person yn benodol bob wythnos. Fy chwaer! Roedd yn meddwl 'mod i'n ymddangos yn nawddoglyd ac yn awgrymu mai dim ond y gwesty pum seren oedd yn ddigon da i mi, ond bod rhywbeth arall ar gael ar gyfer gweddill y gwylwyr. A phan ddeuai'n fater o ffarwelio ar ddiwedd rhaglen, amrywiad ar yr un geiriau fyddai hi'n aml iawn, sef, 'A gyda'r haul yn machlud dros y gorwel, mae'n amser i ni ffarwelio â'r ynys fechan hon...' Wel, roedd hynny'n ddigon i'm chwaer a'i gŵr, Martyn, wthio'u bysedd i gefn eu gyddfau a smalio cyfogi. Does dim byd fel chwaer i gadw'ch traed ar y ddaear!

Byddai digon o drafferthion wrth deithio, yn amlwg, o orfod cydlynu eitemau gan bedwar cyflwynydd o wledydd ar bob cyfandir. Ar un achlysur, bu'n rhaid i mi fynd i India, o Amsterdam, ar awyren Uzbekistan Airways a oedd yn edrych fel petai'n dod o bedwardegau'r ganrif ddiwetha. Taith ddigon bregus a brawychus, ond, ar y cyfan, aeth popeth yn hwylus.

Ar ôl cyrraedd India, fodd bynnag, cefais agoriad llygad. Roeddwn i'n ffilmio yn y Lake Palace Hotel, a ddefnyddiwyd fel lleoliad yn y ffilm James Bond, *Octopussy*. Dyma un o'r gwestai mwyaf moethus yn y byd a stafell yn costio $1000 y noson 'nôl yn y dyddiau hynny. Ond o gwmpas y llyn a roddai ei enw i'r gwesty, roedd y tlodi mwyaf roeddwn wedi ei weld tan hynny. Welais i erioed y fath foethusrwydd a thlodi mor agos at ei gilydd. Cafiar a chardota ochr yn ochr.

Yr un math o argraff a grëwyd arnaf yn Ne Affrica hefyd. Wrth weld sefyllfa'r trefedigaethau sianti, roedd yn anodd dygymod â'r ffaith fod pobl yn byw yn y fath gyflwr. 'Mae rhywbeth mawr o'i le' oedd yr unig eiriau a drôi yn fy mhen wrth deithio mewn trên drwy'r wlad. Roedd tua saith neu wyth ohonon ni'n eistedd yn gyfforddus yn ein coets, ond yn y goets y tu ôl i ni, roedd rhyw gant wyth deg, nifer ar y to, ac eraill yn hongian ar yr ochrau. Wrth basio'r trefi sianti, byddai'r plant i gyd yn rhedeg tuag at y trên ac yn chwifio'u breichiau a'u dwylo i'n cyfarch. Roedd codi llaw yn ôl arnyn nhw fel petai'n dweud ffarwel wrthyn nhw – 'Hwyl fawr, rydw i'n eich gadael chi ar ôl!' Ac, am ryw reswm, roedd eu gweld yn gwenu ac yn chwerthin yn y fath amgylchiadau yn gwneud yr holl beth yn fwy anodd ei ddeall a'i dderbyn.

Roedd yn anodd gweld y fath sefyllfaoedd ar y teledu, ond roedd ei weld drosta i fi fy hun, yn fyw, yn gwbl wahanol. Beth oedd fy sefyllfa i yn wyneb hyn oll? Roeddwn wastad wedi cyfrannu at Gymorth Cristnogol ac ati, ond roedd teimlad cryf yn India a De Affrica efallai nad oedd hynny'n cyffwrdd â'r sefyllfa. Anodd iawn oedd bod yn rhan o gyfres dwristiaeth a gweld realiti tlodi mor amlwg wrth ymyl. Ond, eto i gyd, roedd y gwledydd hynny'n dibynnu mor drwm ar dwristiaeth, a beth fyddai sefyllfa'r wlad hebddo?

Ond, heblaw am hynny, mi ges amser wrth fy modd yn gwneud y gyfres am bedair blynedd, ac mae profiadau mewn sawl gwlad wedi aros efo fi. Ond mi wnaeth y profiadau a gefais yn India ac Affrica fy nharo. Mae hynny hefyd wedi aros efo fi.

Yn 2006 daeth galwad arall i fynd i gyfarfod. Y tro hwn

gydag Ellis Owen, Pennaeth HTV. Roedd pedwar ohonon ni yno, Geraint Curig, Kate Miles, Gwenda Richards a finnau. Y neges, yn syml, oedd bod yn rhaid iddo ein rhyddhau o'r cwmni am nad oedd digon o waith i'n cadw yno. Doedd hi ddim yn sioc gan 'mod i wedi rhagweld hynny ac yn ymwybodol i mi gael cyfnod hir iawn yn gweithio i'r cwmni. Pan ddechreuais weithio i'r cyfryngau, dim ond tair sianel yn darlledu am oriau cyfyngedig bob dydd oedd yn bodoli. Erbyn hynny roedd yna gannoedd ar gannoedd o sianeli, ar yr awyr bob awr o bob dydd.

Yn anochel, roedd pethau wedi newid. O safbwynt cwmni fel HTV, roedd y gacen hysbysebion yn gorfod cael ei thorri'n dafellau teneuach a theneuach bob blwyddyn. A doedd dim cyfle i ddarlledu'r math o gyfresi Saesneg roeddwn i wedi gwneud cymaint ohonyn nhw chwaith. Yn hytrach na'r rhaglenni rhanbarthol y bûm yn cyflwyno rhai ohonynt ganol prynhawn, er enghraifft, roedd ITV nawr yn dangos *Murder She Wrote, Columbo* a'u tebyg. Y sefyllfa yn syml oedd bod adran yn bodoli i greu rhaglenni yn HTV, ond doedd dim cyllideb na slot ar gyfer y rhaglenni.

Felly, wedi gorffen y rhaglenni *Never to be Forgotten* oedd gen i ar ôl i'w gwneud, mi orffennais weithio i HTV yn 2007.

PENNOD 21

OFN A'R BRIODAS FAWR

MAE GAN GYFRES *Y Briodas Fawr* ran amlwg yn fy stori, fel mae nifer o bobl dw i'n eu cyfarfod hyd heddiw yn hoffi fy atgoffa. Mae'n amlwg i'r ffaith i mi fynd trwy artaith ac ofn ar gamera wrth ddysgu hedfan hofrennydd roi boddhad mawr i nifer.

Mi ddaeth yr holl beth i fod yn y cyfnod hwnnw pan oedd HTV yn llogi rhai o'u stiwdios yng Nghroes Cwrlwys i gwmnïau allanol, gan nad oedd digon o staff gan HTV i'w llenwi.

Un o'r cwmnïau hynny oedd Solo, a Will Davies oedd wrth y llyw. Cawsom sgwrs dros goffi yng nghantîn HTV un dydd, a dechreuodd fy holi ynglŷn â fy ofnau. Soniais wrtho am nadroedd ond doedd hynny ddim yn fy mhryderu rhyw lawer gan ei bod yn ddigon posib byw bywyd heb orfod dod ar eu traws. Yr unig un amlwg arall oedd uchder.

Er i mi wneud pedair cyfres o *Pacio* a hedfan i bedwar ban, doeddwn i ddim yn rhyw hapus iawn wrth hedfan ac yn sicr byddwn yn waeth pe gallwn weld y ddaear oddi tanaf. Roedd bod uwchben y cymylau yn dipyn llai o broblem.

A dyna ni am fisoedd. Roeddwn yn gyfarwydd â'r gyfres

ac wedi mwynhau gweld Beti George, er enghraifft, yn dysgu gyrru bws. Ac yna, un dydd, gofynnodd Will i mi a fyddwn yn hoffi bod yn rhan o'r gyfres nesaf. 'Iawn,' meddwn i, a dyna fu.

Daeth y dydd i ni gael gwybod pa dasgau y bydden ni i gyd yn eu cyflawni. Roedd y briodferch a'r priodfab yn y stiwdio yn ogystal â'u teuluoedd a'u ffrindiau. Y syniad oedd mai'r gynulleidfa oedd yn pleidleisio i benderfynu pwy oedd yn mynd i wneud pa dasg. Dewiswyd Gillian Elisa i chwarae'r trwmped yn y briodas a Dewi Pws i dorri gwallt y briodferch, er enghraifft. Daeth fy nhro i. Beth fyddai fy nhynged?

Y cliw a roddwyd i mi oedd, 'Taith Annisgwyl'. Roeddwn yn eithaf cyffrous ynglŷn â hynny. Mynd gyda nhw ar eu mis mêl, tybed? Na, efallai ddim! Taith siopa dramor? Daeth pob math o syniadau egsotig i'r meddwl!

Daeth y cliw nesa wedyn. Llun o hofrennydd. Doedd gen i'r un syniad o'r hyn oedd o'm blaen o hyd.

Ac, yna, daeth y cyhoeddiad.

'Arfon, ti fydd yn mynd â'r priodfab mewn hofrennydd i Lanelli ar ddiwrnod y briodas, ar ôl i ti gael gwersi i ddysgu ei hedfan!'

Sioc aruthrol. Allwn i ddim dweud geiriau i ymateb. Daeth sgwrs y cantîn fisoedd ynghynt yn ôl i'm cof. Cyd-ddigwyddiad hapus bod y gynulleidfa'n dewis i mi wneud yr union beth a ddywedais oedd yn codi ofn arnaf!

'Arfon, ti'n ocê?' Llais Eleri Siôn yn y pellter yn rhywle.

'Well i mi wenu,' meddyliais, ac fe ddaeth un o rywle. Ymlaen â'r rhaglen wedyn at y rhan nesaf gan fy ngadael i a'm meddyliau yng nghanol golau llachar y stiwdio.

'Diawl lwcus!' Dyna oedd geiriau cynta Dewi Pws wrtha

i wedi gorffen recordio.

'Ti'n meddwl? Dydw i ddim yn gweld unrhyw beth lwcus ynglŷn ag o. A dweud y gwir, fydd o ddim yn digwydd, a dyna'i diwedd hi. Byddai'n llawer gwell gen i dorri gwallt na be dw i'n gorfod 'i wneud.'

'Ocê, beth am fynd i ofyn allwn ni'n dau newid 'te?'

Roedd awgrym Pws yn cynnig gobaith. Ffwrdd â ni i weld Will Davies gan awgrymu cyfnewid. Roedd ei ateb yn syml:

'No wê!'

Pwysleisiais unwaith eto, felly, nad oedd unrhyw obaith i mi lwyddo i ddysgu hedfan hofrennydd – roedd yr holl syniad yn hurt ac yn wastraff amser ac arian y cwmni cynhyrchu.

Gwelodd Will 'mod i o ddifri, ac nid yn mynd trwy rhyw sterics dramatig. Newidiodd ei agwedd wedyn, ac awgrymodd y dylwn i o leia, er mwyn y ffilmio, fynd i'r wers gyntaf i weld beth fyddai'n digwydd a chymryd pethau o fan'na.

Mi es i Abertawe, felly, ac eistedd yno heb yr un gronyn o ddiddordeb nac awydd i fod yn rhan o'r hyn a drefnwyd ar fy nghyfer. Cytunais i fynd i fyny mewn hofrennydd am fod criw wedi ei drefnu ar gyfer gwneud hynny. Pan welais yr hofrennydd, roeddwn yn grediniol mai model oedd o, nid yr un go iawn. Roedd o mor fach. Wnaeth hynny ddim i godi fy hyder.

Wedi mynd i fyny, roeddwn yn wyn fel y galchen ac wedi rhewi'n gorn am ei bod mor oer yno. Cadwodd yr hyfforddwr at y cynlluniau gwreiddiol a chynnig cyfle i mi roi fy nwylo ar y ffon lywio, neu'r *cyclic*, fel mae'n cael ei galw.

'Na, wna i ddim,' oedd fy ateb clir a phendant. 'Does

gen i ddim bwriad i lywio o gwbl. Allwch chi fynd â fi lawr rŵan, os gwelwch chi fod yn dda?'

A lawr â ni.

'Sut aeth hi? Ti'n well nawr?' oedd cwestiwn amlwg Will.

'Na, dw i'n waeth rŵan, lot gwaeth.'

'Ocê, os mai fel 'na mae hi, beth am i ti fynd trwy ychydig o'r gwersi ry'n ni wedi eu trefnu, ac wedyn fe wnawn ni ddweud nad oedd e wedi gweithio.'

Cytunais ar y pryd, ond y diwrnod wedyn, mi es i swyddfa Will yng Nghroes Cwrlwys a dweud 'mod am dynnu allan o'r holl beth, cyn dechrau unrhyw ffilmio go iawn a chyn gwastraffu amser pellach.

Yn syml iawn, doedd o ddim yn fater o fethu â'i wneud o; doedd arna i ddim eisiau ei wneud o.

Gwahanol iawn oedd y sefyllfa 'nôl yn nyddiau *Seren Wib*, pan oedd bwriad i'm dysgu i chwarae'r gitâr fel rhan o'r gyfres. Doedd dim prinder awydd i wneud hynny, a roc a rôl wedi bod mor amlwg yn fy mywyd a phobl fel Hank Marvin yn gymaint o arwr. Ond, er cael pobl fel Myfyr Isaac a Dafydd Pierce i'm dysgu, weithiodd o ddim am nad oedd y gallu gen i.

Roedd Will yn amlwg mewn cyfyng gyngor. Roedd wedi deall erbyn hyn 'mod i o ddifri am dynnu'n ôl. Ond roedd wedi gwneud trefniadau, llogi criwiau, trefnu amseroedd gyda'r maes awyr ac yn y blaen. Ymbiliodd arna i unwaith eto i roi rhyw fath o gynnig arni.

Cefais fy nghyflwyno i David Jones, un o'r hyfforddwyr ym maes awyr Abertawe. Yn ôl yr hyn oedd gan yr hyfforddwyr eraill i'w ddweud, David oedd y gorau posibl. Roedd wedi dod i wybod sut roeddwn yn teimlo, ac yn barod am frwydr.

Y peth cynta wedi cyrraedd yn y bore, roedd gwersi ffurfiol, technegol. Helpodd hynny ddim chwaith. Doedd gen i ddim clem, a'm meddwl yn cael ei daflu 'nôl i ddyddiau Ardwyn, lle roeddwn yn eistedd mewn dosbarth heb ddeall beth oedd yn digwydd. Defnyddid termau fel 'autorotative force drag'. Iaith estron yn wir. Ond o leia fe wnaeth un term i mi chwerthin. Ar dudalen 24 Cyfrol Un yr *Helicopter Pilot's Manual*, mae'r pennawd, 'Flapping to Equality'. Wel, mi wnes i ddigon o hynny!

Cytunais fynd i fyny unwaith eto gyda David Jones. Roeddwn yn gwbl anghyfforddus, yn gorfod edrych yn syth ymlaen a ddim yn gallu edrych i lawr neu mi fuaswn i wedi chwydu. O'm blaen roedd rhesi o glociau nad oeddwn yn gallu gwneud na phen na chynffon ohonyn nhw.

Llwyddodd i'm cael i roi fy nwylo ar y *cyclic*, a'i ddal am ychydig. Ac am nifer fawr o wersi wedi hynny, dyna'r cyfan y byddwn yn ei wneud. Mynd i fyny a rhoi 'nwylo ar y *cyclic*, teithio uwchben Penrhyn Gŵyr am ychydig ac yn ôl i'r maes awyr.

Roedd pennaeth yr ysgol hedfan yn pryderu am y sefyllfa ac fe aeth i gael gair gyda Will Davies. Dywedodd yn blwmp ac yn blaen nad oedd yr arbrawf yn mynd i weithio, a bod angen meddwl sut roedd dod â'r cyfan i ben yn weddol handi. Trodd y pennaeth arna i wedyn:

'I'm very disappointed in your attitude. This is ridiculous. It's almost as if you don't want to be here!'

Wel, doeddwn i ddim, wrth gwrs, ac roedd y diwedd yn agosáu, diolch byth.

Yng nghefn fy meddwl, roeddwn yn ystyried ymateb fy mrawd yng nghyfraith, Martyn, sy'n brifathro ym Mhrestatyn ac wrth ei fodd yn hedfan a phob dim sy'n gysylltiedig ag o. Aeth trwy fy meddwl sut y byddwn yn dweud wrtho fo os nad oeddwn yn cario ymlaen â'r cynnig roeddwn wedi'i gael i ddysgu hedfan. Byddai o wedi cydio yn y fath gyfle â'i ddwy law.

Daeth David a minnau i'r casgliad, i fyny yn yr awyr, y byddai'n bosib cael cyfaddawd. Sef smalio mai fi fyddai'n hedfan yr hofrennydd, ond, mewn gwirionedd, mai ei draed a'i ddwylo fo fyddai'n gwneud hynny, wrth iddo eistedd wrth fy ochr.

Awgrymais hyn i Will. Doedd o ddim yn rhy fodlon â'r syniad, ond, ac ystyried y ffaith ei fod yn gwybod sut roeddwn i'n teimlo yn yr hofrennydd, dw i'n credu iddo sylweddoli mai dyna'r ateb gorau roedd yn mynd i'w gael. Felly, yn anfodlon, mi gytunodd.

O ganlyniad, roeddwn i'n fwy parod i ddweud yn gyhoeddus am yr hyn roeddwn yn bwriadu ei wneud, gan gynnwys dweud wrth fy mam a 'nheulu. Roedd yr erthyglau cyhoeddusrwydd ar fin ymddangos a chystal bod Mam yn dod i wybod gen i na darllen am y peth yn y papur. Felly, mi godais y ffôn a dweud wrthi.

'Ie, ond fyddi di ddim yn hedfan y peth go iawn, na fyddi? Mae'n siŵr mai rhywun arall fydd yn hedfan go iawn, wrth dy ochr di.'

Os oedd Mam yn meddwl fel 'na, fyddai neb arall chwaith yn credu mai fi oedd yn ei hedfan. Wrth weld David wrth fy ochr, byddai pawb yn meddwl yn syth mai fo oedd yn hedfan yr hofrennydd go iawn. Dw i'n cofio meddwl fod pawb yn gwybod mai Beti yrrodd y bws am nad oedd neb arall wrth ei hochr.

Yn ddiarwybod i mi bron, dechreuodd fy agwedd newid. Dechreuais ystyried fy hun yn freintiedig i gael y fath gyfle. Roedd fy hyder yn David wedi cynyddu a chynyddu ac roeddwn o ganlyniad yn teimlo'n fwy hyderus ynof i fy hun. 'Ocê,' meddwn i un dydd. 'Fe a' i amdani!'

Roedd Will wrth ei fodd, a phawb yn barod i'm cefnogi wrth i mi geisio mentro o ddifri am y tro cyntaf. Ond roedd un broblem. Roeddwn i bob pwrpas wedi gwastraffu bron i fis, a rhyw bum wythnos yn unig oedd ar ôl. Roedd pwysau arna i felly a dim sicrwydd o gwbl y byddwn yn llwyddo er i mi newid fy agwedd.

Wedi dysgu defnyddio'r *cyclic*, roedd pethau fel 'take-off' a glanio gen i'w dysgu nesa. Roedd gair arall i'w ddysgu wedyn, 'collective', rhywbeth tebyg i frêc llaw, a oedd ar y llaw chwith i mi. Felly roedd y *cyclic* ar y dde a'r *collective* ar y chwith. Wrth godi'r *collective* roedd fel cael y *clutch* i gydio mewn car, ac yna byddai'r hofrennydd yn codi – y syniad oedd bod angen i'r pen blaen ostwng yn gyntaf a bod gweddill yr hofrennydd yn codi. Y cyfan ddigwyddodd am amser hir iawn oedd cyfres o neidiau fel cangarŵ – i fyny am ryw ddeng troedfedd, ac yna'n ôl i lawr yn syth. I fyny ac i lawr. Dro ar ôl tro!

Drwy hyn oll, roedd David, yr athro da, yn dweud wrthyf yn gyson y byddai'r cyfan yn dod at ei gilydd yn annisgwyl un dydd, fel reidio beic. Doeddwn i ddim yn gweld y fath beth yn digwydd o gwbl, ond roeddwn i o leia yn dechrau dod i fwynhau'r profiad.

Ond roedd sioc arall yn fy aros. Dw i ddim yn credu bod staff yr ysgol hedfan yn gyfan gwbl argyhoeddedig y byddai'r fath beth yn digwydd, ond cefais neges yn dweud os oeddwn yn ystyried hedfan ar fy mhen fy hun o gwbl – os, os, os – yna roedd yn rhaid i mi basio dau arholiad ysgrifenedig, a doedd dim modd ffugio'r rheini. Suddodd fy nghalon unwaith eto. Wedi profi rhywfaint o gynnydd, roedd wal arall o'm blaen. Roedd Ardwyn unwaith eto'n fflachio o flaen fy llygaid. A'r Drindod hefyd. Doeddwn i ddim am ddysgu Beirdd yr Uchelwyr er mwyn bod yn athro cynradd, ac yn yr un modd doeddwn i ddim yn gweld pwynt dysgu rheolau a chyfreithiau yn ymwneud â'r awyr a fyddai'n fy ngalluogi i hedfan i Faes Awyr O'Hare yn Chicago neu Heathrow a finnau ond am gludo priodfab i'w briodas yn Llanelli am un diwrnod. Ond, roedd cyfraith gwlad yn disgwyl i mi wneud hynny.

Un arholiad oedd 'The Principles of Flight' a'r llall oedd 'Air Law'. Dau arholiad ysgrifenedig, technegol iawn eu natur a gofyn deall ac esbonio'r termau roeddwn wedi eu dysgu, y 'phase lag', a'r 'ground resonance' a'r 'vortex ring' ac ati. 'Flapping to Equality' unwaith eto!

Mi fethais yr arholiad cynta ar egwyddorion hedfan, ond mi basiais yr eildro. Mi fethais yr arholiad Cyfraith Awyr y tro cyntaf a'r eildro, ond ei basio ar y trydydd cynnig. Wrth basio dau arholiad trwm teimlwn imi gyflawni rhywbeth arwyddocaol iawn.

Roeddwn yn dechrau cael blas ar bethau erbyn hyn. Y *cyclic* yn ocê, y codi a'r disgyn yn ocê, a'r ddau arholiad wedi eu pasio.

'Reit. Nawr am y pedals,' meddai David wrtha i un dydd.

O, na, dim mwy i'w ddysgu! Y llaw chwith a'r llaw dde yn gorfod gwneud dau beth gwahanol eisoes, ac rŵan roedd disgwyl i'r droed dde a'r droed chwith wneud dau beth cwbl wahanol hefyd. Y canlyniad oedd colli rheolaeth ar bopeth roeddwn i wedi ei ddysgu cynt, a'r hofrennydd yn symud yn yr awyr fel aderyn wedi meddwi.

Ond roedd un peth roeddwn yn ei ddeall yn iawn, sef dedlein. Roeddwn yn ymwybodol iawn bod diwrnod y briodas yn agosáu yn gyflym. Cynyddodd hynny fy awydd i lwyddo. Mae'n siŵr bod methiannau'r gorffennol yn symbyliad da hefyd. Fy agwedd erbyn hynny oedd fod arna i eisiau dangos i Martyn, eisiau dangos i Mam, eisiau dangos i'm ffrindiau, 'mod i'n gallu hedfan hofrennydd.

Doedd dim prinder cysurwyr Job a oedd yn fodlon iawn dweud wrtha i na fyddwn i byth yn llwyddo, doedd o ddim yndda i, roeddwn wedi gwastraffu gormod o amser ar y dechrau ac yn y blaen ac yn y blaen.

Weithiau, mae anogaeth ddidwyll, garedig, tebyg i, 'Rwyt ti'n gallu 'i wneud o, Arfon. 'Dan ni'n gwybod y byddi di'n llwyddo,' ac ati'n gweithio. Dyna ges i gan y criw cynhyrchu, gan Will yn benodol, a gan Ann y cynorthwyydd. Ond weithiau hefyd, mae'r ochr arall yn wir. Po fwya y byddwn i'n clywed pobl yn diystyru fy ymdrechion ac yn dangos nad oedd ganddyn nhw unrhyw ffydd ynof i, wel, roedd hynny'n troi'n fwy byth o symbyliad.

Canlyniad hyn oll oedd i mi drefnu gwersi ychwanegol fy hun yn ystod yr wythnosau olaf cyn y briodas. Roedd y maes awyr mor brysur fel mai'r unig amser rhydd ar gyfer y gwersi hynny oedd wyth o'r gloch y bore. 'Iawn,' meddwn i. 'Mi ddo i.' A dyna wnes i.

Ac mi ddaeth y 'diwrnod reidio beic'. Sut, dwn i ddim, ond un dydd daeth pob dim at ei gilydd. Y ddwy droed, y ddwy law a'r cyfan oll. Roedd David bron â syrthio 'nôl i ddyddiau Biggles a dweud 'By Jove, I've think you've got it!'

Roeddwn mewn sefyllfa ryfedd rŵan, o orfod sicrhau na fyddwn i'n rhy hyderus. Rhy hyderus! Gofynnais am gael gwneud mwy o *take-offs* a glanio gan nad oedd y glanio'n ddigon llyfn. Roeddwn yn cael blas go iawn erbyn hyn.

Wrth i hyn ddigwydd, roedd David yn newid ei rôl a bellach yn fwy o athro. Un dydd, a finnau'n gwneud cylchdro uwchben y maes awyr, gofynnodd i mi:

'Beth wyt ti wedi'i wneud yn anghywir?'

Doeddwn ddim yn rhy siŵr, ond roedd o'n gwybod yn iawn wrth gwrs.

'Am y deng munud diwetha, rwyt ti wedi anwybyddu'r cloc yna ar y chwith yn gyfan gwbl. Petaet ti ar dy ben dy hun a tithe'n gwneud hynny, ti'n gwbod beth fyddai'n digwydd?'

'Nac ydw.'

'Byddet ti'n lladd dy hun!'

Roedd hynny'n ddigon i'm rhwystro rhag bod yn rhy hyderus – o, oedd.

Cyn hir, roeddwn yn gallu codi ac esgyn, troi mewn cylchoedd ac ati. Oeddwn, roeddwn yn gallu hedfan hofrennydd, gyda David wrth fy ochr o leia. Awn ar deithiau ar hyd traethau Llangennith a Rhosili yn aml a daeth y diwrnod i mi gael cynnig ar hedfan ar hyd y traethau, ac wrth wneud hynny, gan gadw at y cyfyngiad o 100 troedfedd yn unig uwchben y tir, roeddwn wrth fy modd. Symud yn osgeiddig ar wyneb y traeth a'r môr, a cherddoriaeth *Hawaii Five O* yn chwarae yn fy meddwl!

Dyna oedd abwyd David i mi wneud pethau'n hollol gywir yn y wers – sef cynnig y cyfle i mi hedfan uwchben traeth Llangennith. Ac mi weithiodd hefyd. Gwefr oedd cael hedfan yno a'r tonnau oddi tanom a gweld ewyn y môr yn torri.

Ond roedd un cam mawr ar ôl a David yn mynnu nad oeddwn yn barod amdano eto, er gwaetha rhamant munudau *Hawaii Five O* ym Mro Gŵyr! Hedfan ar fy mhen fy hun.

Roedd David am i mi wneud un peth penodol cyn cymryd y cam hwnnw. Roedd am i fi fynd i fyny mewn hofrennydd gyda'r person cynta a aeth â fi i fyny, yr un welodd yr holl amharodrwydd, yr holl anfodlonrwydd a'r ofnau cychwynnol. 'Dangos iddo beth rwyt ti'n gallu'i wneud,' oedd y neges.

'Dydw i wir ddim yn gallu credu be dw i newydd weld. Y fath newid mewn person.' Dyna oedd ei ymateb wedi glanio ar ôl y daith. Roedd David wedi cyflawni ei fwriad a'm hyder innau wedi cael cryn dipyn o hwb gan y fath ymateb.

Roeddwn wedi dysgu popeth hyd hynny mewn hofrennydd lle i ddau yr R22, ond mewn hofrennydd lle i bedwar yr R44 y byddwn i'n gorfod mynd â'r briodfab i'r *Briodas Fawr*. Daeth cyfle un dydd i gael hedfan un o'r rheini. Roedd rhywun am fynd i Lundain, a chefais gais i'w hedfan yno, gyda David, wrth gwrs.

Roedd yn grêt cael hedfan o Abertawe at gyrion Llundain, cyn i David orfod cymryd drosodd oherwydd rheolau'r maes awyr. I mewn â ni i swyddfa rheoli'r drafnidiaeth awyr, er mwyn gwneud y gwaith papur angenrheidiol. Wrth i mi gerdded i mewn, pwy oedd yno wrth fy ochr ond David Jason! Roeddwn wedi gwirioni. *Only Fools and Horses* yw un o fy hoff gyfresi, fel mae i nifer o bobl eraill. A dyna lle roedd yn sefyll o'm blaen! Roedd yn deimlad rhyfedd am fod awydd gref ynof i fynd ato a'i gyfarch fel Del Boy a chynnwys cymaint o'i ddywediadau yn fy mrawddegau! Dydw i erioed wedi cael y fath ysfa i gyfarch rhywun fel y cymeriad y daeth yn adnabyddus am ei chwarae yn hytrach na chyfarch y person go iawn!

'The van's outside, is it Del Boy? Things going well in Peckham then if you've got a helicopter! Where's Rodney, *mange tout*?'

Ond llwyddais i wrthsefyll y demtasiwn a chawsom

sgwrs ddifyr ynglŷn â dysgu hedfan. Dyna pam roedd o yno, gan iddo yntau hefyd ddechrau cael gwersi.

Wrth hedfan 'nôl i Abertawe, y cyfan a âi trwy fy meddwl oedd bod gan Del Boy hofrennydd R44 fel yr un roeddwn innau'n ei hedfan ar y pryd. Rhagor o wersi ac o ymarfer oedd o'm blaen i, fodd bynnag. Cylchdro ar ôl cylchdro, codi ac esgyn, a phob ymarfer arall posibl. Tra oeddwn i fyny yn yr awyr efo David un dydd, yn hedfan ar ryw gan troedfedd, mi wnaeth o i'r hofrennydd fynd allan o reolaeth yn llwyr a disgwyl i mi ei reoli. Mi wnes yn weddol ddidrafferth. Rai dyddiau wedyn, dywedodd wrtha i:

'Dw i'n credu dy fod ti'n barod i'w hedfan ar ben dy hunan nawr.'

'Ti'n siŵr? Ti'n hollol siŵr?'

Efallai fy mod wedi bod yn gofyn am gael gwneud hynny ond mater arall oedd ei glywed yn cynnig y fath beth!

'Odw, a dweud y gwir, dw i wedi anfon y criw ffilmio i ffwrdd yn barod. Dw i ddim ishe'r pwyse ychwanegol hynny arnat ti y tro cynta, felly ma nhw wedi mynd.'

Mi aeth o allan o'r hofrennydd. Daeth rhywun arall ag ychydig o bwysau i'w roi yn y sedd lle byddai David, er mwyn i mi beidio â theimlo balans gwahanol yn y caban.

Rhoddodd ei gyfarwyddiadau i mi, i godi'r hofrennydd, ei symud i'r dde ac i'r chwith, mewn cylchdro i'r ddwy ochr, a dod ag o'n ôl i'r ddaear. Roeddwn i ar *headphones* ac ar gysylltiad radio drwy'r amser, wrth gwrs, er mwyn gofyn caniatâd i'r tŵr rheoli i gael hedfan. Wrth ddechrau paratoi i hedfan, clywais lais David yn siarad â'r tŵr rheoli.

'Student about to embark on first solo flight. Could you notify emergency services to be on stand-by?'

Wel, roeddwn i'n eistedd yn yr hofrennydd yn crynu o glywed y fath gais. Wnaeth yr un dim i mi sylweddoli arwyddocâd y foment yn fwy na hynny. Mi allwn i ladd fy hun yn y deng munud nesa yma!

Ond ymlaen â fi â'r dasg beth bynnag. Codais yr hofrennydd tua 15 troedfedd, a dechrau ymlacio. Cyn sylweddoli y byddai'n rhaid i mi ei lanio fo hefyd. Ond mi wnes yr hyn y gofynnodd i mi ei wneud, a'i lanio wedyn.

Rhedodd David draw ataf a'm llongyfarch yn wresog iawn wedi i mi lanio. Mi adewais y maes awyr a mynd 'nôl at y criw, a oedd wedi mynd am ginio i dafarn y Gower. Mi roedden nhw'n gwybod, wrth gwrs, beth oedd bwriad David wrth eu hanfon i ffwrdd, ac roedd o wedi cysylltu â nhw wedi i mi gwblhau fy nhaith solo gyntaf. Felly, wrth i mi gerdded i mewn i'r dafarn, cododd pawb ar eu traed gan weiddi a fy llongyfarch a dod draw ataf i'm cofleidio. Roedd yn dŷ tafarn emosiynol iawn y pnawn hwnnw.

Ond, wrth gwrs, doedd fy ngorchestion hedfan ddim ar dâp, felly ni ellid eu cynnwys ar y rhaglen. O ganlyniad, roedd yn rhaid i mi ailwneud hynny, a'r criw yn fy ffilmio'r tro hwn. Roedd hynny'n dipyn anoddach. Roeddwn dipyn yn fwy nerfus wrth wneud yr union yr un peth i gamera nag a oeddwn wrth ei wneud am y tro cyntaf erioed ar fy mhen fy hun – er fy mod dipyn yn fwy cyfarwydd â chamerâu nag oeddwn i â hedfan hofrennydd. Rhyfedd!

Wedi i mi godi i'r awyr ar fy mhen fy hun ar gyfer y ffilmio, gwelais lle roedd y criw a dwi'n cofio meddwl eu bod nhw'n ddigon pell i ffwrdd pe bai rhywbeth yn mynd o'i le. Ond, o leia roedd yn ddigon clir i bawb weld 'mod i'n llywio'r hofrennydd ar fy mhen fy hun.

Mi wnes yr hedfan angenrheidiol a glanio unwaith eto. Wrth gamu o'r hofrennydd, y peth cynta a wnes oedd mynd yn emosiynol ofnadwy o flaen pawb. Pam, dw i ddim yn gwybod. Daeth David ata i unwaith eto a'm llongyfarch yn eithaf teimladwy ac roedd y dagrau'n powlio i lawr fy ngruddiau. Roedd y dyn camera hyd yn oed yn dangos emosiwn. Pam? Mae yna filoedd o bobl wedi cael eu trwydded hedfan, a finnau wedi mynd i fyny mewn hofrennydd am ugain munud ar fy mhen fy hun, dyna i gyd.

Ai rhyddhad oedd o? Byddai fy nhad wedi bod wrth ei fodd, yn sicr, yn meddwl amdana i'n cyflawni'r fath beth. Ai dyna oedd y tu ôl i'r holl deimlad? Efallai bod elfen o goncro rhywbeth ynof i fy hun, a bod y methiannau blaenorol yn ffactor. Roedd yr hyn roeddwn wedi ei gyflawni gyda *Seren Wib* a *Seren Dau* hefyd yn cyfri. Er nad oeddwn i wedi gwneud dim go iawn yn y cyfresi hynny chwaith – syrthio oddi ar y bwrdd hwylio a chwalu'r crochenwaith oedd y rheswm dros yr apêl bryd hynny. Ond rŵan, roeddwn wedi llwyddo i wneud rhywbeth go iawn.

'Nôl yn swyddfa'r maes awyr, roedd gweddill y criw. Daeth Ann ata i'n crio a dyna finnau'n dechrau eto wedyn, a'r dagrau'n llifo! Cywilydd, ond hollol ddidwyll.

Rhaid oedd gwneud cyfweliad wedyn ar gyfer y rhaglen. Ann ofynnodd y cwestiynau:

'Beth wyt ti'n feddwl bydd Catrin yn ddweud?'

A dyna fy llygaid yn llenwi unwaith eto. Doeddwn i ddim yn gallu ateb y cwestiwn o gwbl wrth ystyried beth fyddai fy merch yn ei feddwl o'm gorchest.

Roedd David wedyn yn gorfod llenwi'r log, ac mae hwnnw'n dal gen i, a'r geiriau 'first solo flight' yno'n ddigon clir.

Does yr un peth erioed yn fy ngyrfa deledu wedi dod yn agos at fod mor bwysig i mi â'r digwyddiad hwn. Roeddwn wedi mynd trwy'r holl wersi, ymarferion ac arholiadau i ddysgu hedfan hofrennydd.

Roeddwn wedi wynebu fy ofnau mwyaf, a'u concro.

PENNOD 22

MAB Y MANS

A DYNA FY STORI HYD yma bron â dod i ben. Profiad rhyfedd yw edrych 'nôl dros eich bywyd yn y fath fodd a rhoi'r cyfan rhwng dau glawr. Er, mi ddes yn agos at wneud rhywbeth digon tebyg cyn hyn.

Yn ystod y gyfres *Penblwydd Hapus*, roeddwn yn paratoi rhaglen ar y gyflwynwraig a'r cynhyrchydd, Nia Ceidiog. Roeddwn wedi mynd i'r Gyfnewidfa Lo ym Mae Caerdydd er mwyn ymarfer y rhaglen yn ôl y drefn a gawsai ei hen sefydlu erbyn hynny. Cafwyd ymarfer llawn, a'r bwriad oedd mynd draw i Bontarddulais i roi'r syrpreis iddi, gan ei bod wedi mynd am bryd o fwyd yno gyda'r cyflwynydd newyddion, Garry Owen. Roedd un o hoff grwpiau Nia, Eden, yn rhan o'r rhaglen a'r cyflwynydd Gareth Roberts hefyd. Roedd popeth yn mynd yn hwylus yn yr ymarfer a daeth yn bryd i mi deithio draw i'r gorllewin.

Trefnwyd i mi aros yn fy nghar yng Ngwasanaethau Pont Abraham, ac y byddai Garry yn fy ffonio pan fyddai Nia wedi cyrraedd. Daeth yr alwad, ond i ddweud bod Nia'n hwyr ac y byddai'n rhaid i mi aros am o leia awr arall. Doedd dim i'w wneud ond eistedd ac aros – ac yfed coffi. Ymhen hir a hwyr, daeth y neges ac i mewn â fi i stafell ffrynt Garry a dweud 'Pen-blwydd Hapus' wrth Nia. Mi gafodd gryn sioc a ffwrdd â ni wedyn 'nôl i'r stiwdio a osodwyd yn y Gyfnewidfa Lo, lle roeddwn wedi bod yn ymarfer drwy'r bore. Roedd yn weddol hwyr yn y dydd erbyn hynny.

Roedd Nia wedi mynd i'r stafell golur ac roeddwn innau yn fy stafell newid, pan ddywedodd Judith, yr un oedd yn gyfrifol am y gwisgoedd, bod marc ar gefn fy nhrowsus a bod yn rhaid iddi wneud rhywbeth i'w ddileu. I ffwrdd â'r trowsus felly, ac eisteddais yn fy stafell tra oedd Judith yn gwneud ei gwaith.

Daeth Nia a fi 'nôl at ein gilydd, yng nghefn y set, ac roedd hi'n ofnadwy o nerfus, druan. Gwnes fy ngorau i'w chysuro, gan roi fy mraich am ei hysgwyddau a dweud y byddai pob dim yn iawn.

Ar yr alwad, i mewn â'r ddau ohonon ni i'r set. Wrth i mi gerdded i mewn, gwelais nifer o aelodau staff HTV. Dyna lle roedd Nicola Heywood Thomas, Gwenda Richards, Siwan Jobbins a nifer o rai eraill. 'O, trueni,' meddwn i wrtha i fy hun. 'Maen nhw wedi methu cael cynulleidfa ac wedi gorfod recriwtio staff ar y funud ola i lenwi'r seddau'.

Ychydig gamau ymhellach, gwelais Caryl Parry Jones a Myfyr Isaac. 'Chwarae teg iddyn nhw,' meddyliais.

Wrth i mi gyrraedd i'r marc ar y set, dyma Siân Thomas yn ymddangos wedi gwisgo fel Siôn Corn. 'Beth ydi hyn?' gofynnais i mi fy hun. '*Brodyr Bach*, efallai!'

'Arfon Haines Davies, Pen-blwydd Hapus!'

Wel, dyna oedd sioc go iawn. Wedi bod yn ymarfer ar gyfer rhaglen Nia yn ystod y dydd, a chynllwyn oedd y cyfan. Gorfod aros ym Mhont Abraham er mwyn i'r criw yng Nghaerdydd ymarfer y rhaglen ar fy nghyfer i, nid yr un roeddwn i wedi bod yn ei hymarfer ar gyfer Nia. Felly hefyd yr oedi er mwyn rhoi colur ar Nia a'r gwaith trwsio ar fy nhrowsus i, a hefyd broblem â'r meicroffon a gododd yn hwyrach.

Wrth edrych eto ar y gynulleidfa, dyna lle roedd fy rhieni, Angela, fy ngwraig, a Catrin, fy merch.

Doedd dim syniad gen i beth oedd yn digwydd. Ar ddechrau pob rhaglen byddwn yn dangos rhyw glip byr o'r *hit* ar y gwestai, ac roedd yr *hit* ar Nia yn nhŷ Garry ar ddechrau'r recordio wedi cael ei ddangos. Ar ben hynny, roedd hyn ym mis Rhagfyr a'm pen-blwydd i ym mis Mehefin, felly doeddwn i ddim wedi breuddwydio y byddai'r fath beth yn digwydd o gwbl.

Dwi'n cofio dim am hanner cynta'r rhaglen. Dim ond synfyfyrio ac edrych o gwmpas, gan geisio dyfalu sut y cafodd yr holl raglen ei rhoi at ei gilydd. Roedd yn noson arbennig a straeon amrywiol o gyfnodau gwahanol yn ystod fy mywyd yn cael eu hadrodd. Cafwyd cyfarchion gan Neville Southall a bois Everton a fy ffrind o'r Central, George, nad oeddwn wedi ei weld ers blynyddoedd, yn cael ei wahodd i fod yn rhan o'r sioe. Oeddwn, roeddwn wedi cael fy nal, ar ôl dal cymaint o bobl fy hun.

Roedd y noson honno'n rhyw fath o ymarfer ar gyfer sgrifennu'r llyfr hwn hefyd. Cael cyfle prin i gofnodi fy mywyd hyd hynny, a chyfraniadau amrywiol gan deulu a ffrindiau. Ond doedd gen i'r un awydd i'w roi mewn llyfr, hyd yn oed wedi'r rhaglen. Nid dyna'r ysgogiad.

Mi ddaeth hwnnw gan Catrin. Wedi i mi ddweud yr un hen stori am y seithfed neu'r wythfed tro, trodd ata i a dweud:

'Dad, falle bod hwnna'n ddoniol y tro cynta ond dyw e ddim yn ddoniol erbyn hyn. Pam na wnei di ysgrifennu'r straeon 'ma i gyd mewn llyfr, a bydd pawb arall yn gallu eu clywed wedyn, nid dim ond fi, dro ar ôl tro.'

Roedd 'na un rheswm amlwg pam nad oeddwn wedi gwneud hynny: doedd neb wedi gofyn. Rhyw dridiau wedi i Catrin ddweud hynny, roeddwn yn cerdded trwy swyddfeydd *Y Byd ar Bedwar*, ac yn ystod sgwrs, awgrymodd Eifion Glyn y dylwn ysgrifennu hunangofiant. Dau awgrym yn yr un wythnos; efallai y dylwn ystyried gwneud hynny.

Roedd Catrin, ar y pryd, bron yn bymtheg oed. Cafodd ei geni ryw ddeunaw mis wedi i mi a'i mam, Angela, briodi. Canlyniad *blind date* oedd perthynas Angela a fi. 'Nôl yn nechrau'r wythdegau, roedd ffrindiau i mi a ffrindiau i Angela wedi cynllwynio i ddod â ni at ein gilydd gan fod y ddau ohonon ni newydd orffen carwriaethau.

Ar y noson pan gwrddon ni, fe aethom am ddiod, ac wrth i'r noson fynd yn ei blaen, trodd y sgwrs at fwyd. Dywedodd Angela y byddai wrth ei bodd yn mynd am gyrri. Doeddwn i ddim am ddweud fy mod wedi cael un i ginio'r diwrnod hwnnw felly i ffwrdd â fi gyda hi am gyrri arall. Ni wnaeth unrhyw wahaniaeth, diolch byth, a dyna ddechrau ar y berthynas.

Buom yn gweld ein gilydd am dros ddeng mlynedd, tan, yn nechrau'r nawdegau, i ni ystyried ei bod yn amser i ni briodi. Ar ddydd Llun y Pasg, 1992, felly, yng nghapel Methodistiaid Cyncoed, fe briododd fy nhad y ddau ohonon ni. Canodd Côr Meibion Pontypridd yn y seremoni, gan fy mod ar y pryd yn un o'i is-lywyddion.

Wedi brecwast yng Ngwesty Manor House, Caerdydd, i ffwrdd â ni am ychydig ddyddiau i Amsterdam.

Roedd y ffaith i ni briodi ar ddydd Llun y Pasg yn arwydd amlwg o agwedd fy nhad at ei alwedigaeth. Roedd wedi trefnu ei suliau dros gyfnod y Pasg, a doedd dim modd newid unrhyw gyhoeddiad, heb sôn am ganslo. Llun y Pasg amdani, felly. Roedd bod yn fab y mans yn llywio fy nhrefniadau priodas hyd yn oed! Ond, dyna fo, erbyn hynny roeddwn yn hen gyfarwydd â'r ffaith bod y fath deitl yn dod â'i gyfrifoldebau a'i ddisgwyliadau ei hun. Cyfeirias droeon at y modd roedd disgwyl i mi ymddwyn yn wahanol am fod Nhad yn weinidog, cyfrifoldeb annheg ar adegau. Efallai fod hyn yn adlewyrchu'r agwedd at rôl y gweinidog yn ein cymunedau, ond doedd o'n gwneud dim ffafr ag unigolyn oedd yn ceisio byw ei fywyd ei hun!

Roedd yn golygu fy mod yn cael ffafrau gan nifer, oedd, ac yn arwain at wahoddiadau i fynd i bob man pan oeddwn i'n blentyn. Deallais wedyn fod hynny yn ei dro yn fodd i'm ffrindiau berswadio eu rhieni i adael iddyn nhw fynd i'r un llefydd.

'Wel, os ydi mab y gweinidog yn mynd, mi gei dithau fynd hefyd!'

Yn y cyd-destun hwn, rhoddodd gweithio i HTV un cyfle i mi droi'r drol rywfaint, a hynny er mawr ddifyrrwch i Nhad. Pan oedd o'n mynd i gyfarfodydd pregethu wedi i mi ddechrau yn HTV, câi ei gyflwyno'n aml iawn fel 'tad Arfon Haines Davies'!

Wrth edrych 'nôl dros ysgwydd amser, fel rydw i wedi bod yn ei wneud yn y llyfr hwn, mae ffydd fy nhad yn un ffactor amlwg. Gwelwyd hynny'n glir yn yr ychydig ddyddiau cyn iddo farw. Mi es i'w weld yn yr ysbyty, a'r cyfan oedd ganddo i'w ddweud oedd:

'Dydw i'n difaru dim, dydw i'n edifar am ddim, dw i ar y ffordd i Wlad y Gogoniant.'

Dyna, bron â bod, y geiriau ola i mi ei glywed yn eu dweud erioed. Sgwn i ai gweld y machlud dros y Fenai gyda Bob Pritchard a Richie Bonner oedd yn ei feddwl y pryd hwnnw?

Dydw innau erioed wedi rhoi'r gorau i fynd i gapel ar y Sul. Salem, Treganna, yw'r lle y bydda i'n mynd rŵan

– un o'r ychydig fannau addoli sy'n llawn ar y Sul ac yn ehangu. Dw i wastad wedi ei chael yn anodd galw fy hun yn Gristion. Yn hytrach, mi fyddaf yn dweud 'mod i'n anelu at fod yn un, ond yn aml iawn yn methu. Er hynny, mae mynd i Salem yn rhan allweddol o'm bywyd erbyn hyn.

Er 'mod i wedi gadael HTV ers peth amser, mae bywyd yn eitha prysur. Un rhan bwysig o'm bywyd yw bod ar fwrdd llywodraethol Ysgol Gyfun Glantaf. Nid yn unig am mai dyna lle mae Catrin newydd ddechrau ar ei chwrs yn y chweched dosbarth, ond mae hefyd yn gyfnod cyffrous i fod yn rhan o addysg Gymraeg yn y brifddinas. Mae'r ysgol yn tyfu ac addysg Gymraeg Caerdydd yn ehangu ac yn ehangu. Ar hyn o bryd, mae cynlluniau i godi adeiladau newydd a champfa i'r ysgol yn 2010, a hyn yn arwydd o lwyddiant ac yn galondid mawr.

Mae fy meddwl yn dychwelyd at athrawon Ardwyn ar hyn o bryd. Nid yn unig bod yr 'Haines Davies boy' yn llywodraethwr ysgol, mae o hefyd wedi ysgrifennu llyfr.

'Ysgrifennu llyfr? Mi faswn i'n synnu'n fawr iawn clywed iddo ddarllen un erioed!' Dyna, dw i'n siŵr, fyddai eu hymateb o glywed am hyn.

Beth fydden nhw'n ei wneud o'm gyrfa yn HTV am dros dri deg pump o flynyddoedd, tybed? Wel, dw i'n gwbod sut rydw i'n ei grynhoi. Ar wahân i ddefnyddio'r gair 'lwcus' dro ar ôl tro, gallaf aralleirio geiriau Winston Churchill:

'Never in the field of broadcasting has so little talent gone such a long way!'

Roedd fy nhad hefyd yn un am ddywediadau. Clywodd Catherine a fi nifer ohonynt yn ystod ein plentyndod, ac mae ein plant ni wedi derbyn yr un cynghorion. Y ddau gyngor sydd wedi aros fwyaf yn y cof efo fi yw'r cyngor 'un dydd ar y tro', er mwyn cael y gorau o bob diwrnod unigol, a'i fwynhau. Byddai hefyd yn ein hannog i 'gofio bob amser dweud diolch'. Felly, mae'n ffordd addas iawn, yn fy marn i, i gau pen y mwdwl. Diolch i'r holl benaethiaid, cynhyrchwyr, cyfarwyddwyr, ymchwilwyr, golygyddion a chriwiau sydd wedi helpu 'mab y mans' hynod gyffredin i gael bywyd a gyrfa hynod anghyffredin a phleserus. Diolch, diolch, diolch.

Am restr gyflawn o lyfrau'r Lolfa, mynnwch
gopi o'n catalog newydd, rhad
neu hwyliwch i mewn i'n gwefan

www.ylolfa.com

lle gallwch archebu llyfrau ar lein.

Talybont Ceredigion Cymru SY24 5HE
ebost ylolfa@ylolfa.com
gwefan www.ylolfa.com
ffôn 01970 832 304
ffacs 832 782